Romanse w Paryżu

Romanse w Paryżu

Barbara Rybałtowska

KOREKTA: Elżbieta Makowska

PROJEKT OKŁADKI: Borys Borowski
SKŁAD: Positive Studio

Wydanie I i II jako *Romans w Paryżu*
Wydanie IV

ISBN: 978-83-61432-83-8
EAN: 9788361432838
ISBN E-BOOK: 978-83-61432-88-3

AXIS MUNDI
www.axismundi.pl

Marcie, mojej Córce…

Przestroga

Siedziałam na kamiennym słupku przy Łuku Triumfalnym. Byłam zmęczona, rozżalona i zła na siebie.

Dotarłam na umówione miejsce spóźniona o trzy kwadranse i nie zastałam już Pawła. Daremnie okrążyłam Łuk ze cztery razy. Widocznie chodząc w kółko deptaliśmy sobie po piętach, bo ledwie usiadłam, usłyszałam nad głową:

– Zjawiłaś się nareszcie! Siedzisz sobie spokojnie, podczas gdy ja… Eeeee, szkoda gadać! Nie nadajesz się do Paryża.

– Straciłam poczucie czasu chodząc po sklepach. Przepraszam. Gdybyś poszedł ze mną… ale ty nie lubisz damskich zakupów.

Nasz wymarzony wyjazd do Paryża poza oczarowaniem miastem przyniósł mi pewne smuteczki. Paweł często się niecierpliwił, bywał opryskliwy.

Nie mogłam pogodzić się z tym, że na niebie naszej dotychczasowej idylli pojawiły się chmury. Pamiętam, jak pewnego wieczoru, lekko odurzeni winem po kolacji u przyjaciół, przechadzaliśmy się po Polach Elizejskich. Zagapiłam się na jakichś cudaków, których nigdy tam nie brakuje, i zostałam w tyle. Paweł zawołał ponaglająco, odwróciłam się gwałtownie i z całym impetem huknęłam czołem o pień platanu, który nie wiedzieć jak znalazł się na mojej drodze. Osunęłam się miękko pod drzewo i gwiazdy zawirowały mi w oczach.

– Mówiłem, że nie nadajesz się do Paryża! – powtórzył mój mąż podnosząc mnie z ziemi.

Upłynęło sporo czasu, zanim mogłam pójść dalej. Czoło puchło i miałam mdłości. Mimo to dotarliśmy jakoś na pokaz mody światowej na Trocadéro.

Staliśmy w zbitym tłumie na placu przed pałacem Chaillot. Ludzie dowcipkowali i oklaskiwali entuzjastycznie laskonogie, wychudzone piękności, które w dziwacznych strojach defilowały po wybiegu. Kołysały kusząco biodrami i wdzięcznie przeginały się w talii. Paweł był w ekstazie. Rozpierała go duma narodowa i przemożne poczucie więzi z Modą Polską. Nie drażniły go też modelki Diora, Chanel i Yves Saint Laurenta, pożerał je wzrokiem. Kiedy zaś wyszły na wybieg nasze pszeniczne blondyny, w oczach zatrzepotały mu flagi narodowe, stanął na baczność, a ja przestraszyłam się, że szlochając ze wzruszenia zaintonuje *Mazurka Dąbrowskiego*.

Zazdrosnym i rozżalonym okiem śledziłam tę wrażliwość mego męża na urodę obcych kobiet. Czułam się brzydka, do tego oszpecona po uderzeniu i nikomu niepotrzebna…

– Słabo mi, chodźmy stąd! – poprosiłam biorąc go pod ramię. Otrzepał się ze mnie niecierpliwie.

– Ciiiiii! Nie widzisz? Polki idą!

– A ja to kto, Papuaska?

Spojrzał na mnie przelotnie, krzywiąc się z niesmakiem na ten niestosowny żart.

Ledwie żywa dotrwałam do końca parady. Nic mnie nie zachwyciło, wszystko irytowało. Widać pokazy mody obliczone są na zdrowego widza.

Natomiast Paweł oniemiał od tego, co pokazywały modelki. Nie mogłam uwierzyć, że to ten sam człowiek, którego tak irytują sklepy z damską odzieżą! Na wzmiankę o tym wzruszył tylko ramionami i powtórzył swoją ulubioną śpiewkę:

– To jest Paryż, moja droga. Tu się dzieją wspaniałe rzeczy, a ty mi wiercisz dziurę w brzuchu! Nie nadajesz się do Paryża i już!

Nic nie wyniosłam z tej lekcji. Może to i dobrze? Gdybym się bardziej przejęła tym, co wtedy usłyszałam, wszystko, co mi się potem zdarzyło, mogłoby mnie ominąć.

Szansa

Wszyscy w teatrze mówili, że nareszcie złapałam „wiatr w żagle". Rzeczywiście w tym sezonie wiodło mi się nie najgorzej. Dwie główne role i zapowiedź trzeciej, do tego wygrany festiwal piosenki. Wyglądało na to, że po siedmiu „chudych latach" nastały „tłuste". I teraz jeszcze nadszedł list z Francji: „Fundacja Centrum Teatru Francuskiego ma przyjemność zawiadomić, że została Pani wybrana spośród przedstawionych nam kandydatek i otrzymuje Pani ośmiomiesięczne stypendium w Paryżu. Uczestniczenie w zajęciach École du Théâtre Musicale… itd".

Z mieszanymi uczuciami zaczęłam omawiać w gronie moich bliskich daną mi szansę. Wszyscy jednogłośnie uznali, że nie powinnam się zastanawiać. Wszelkie artystyczne poczynania zagraniczne mają u nas taką magię, że na pewno po powrocie nie zabraknie mi pracy. Mama nawet zaproponowała, że w czasie mojej nieobecności zajmie się Pawłem i Joasią. Wzruszyło mnie to, bo sama niedawno po ośmiu latach wdowieństwa wyszła ponownie za mąż.

– Zajmiemy z Tadeuszem na osiem miesięcy twój pokój – powiedziała całując mnie.

Potem wszystko potoczyło się tak szybko, że nie miałam czasu na roztkliwianie się.

Na dworcu zebrała się spora grupka moich bliskich i przyjaciół. Padał deszcz. Kiedy już stałam przy zamkniętym szczelnie oknie w radzieckim wagonie sypialnym (był to pociąg Moskwa-Paryż), widziałam ich stłoczonych na peronie pod parasolami. Pokrzykiwali coś do mnie wesoło. Na próżno. I tak nie słyszałam, co mówią. Zresztą, patrzyłam na moją córkę, Joasię. Jej tak poważne jak nigdy dotąd oczka pytały mnie: „Jak możesz się jeszcze uśmiechać, jak możesz? Teraz, kiedy ja zostaję tu bez ciebie..." Patrzyła na mnie bez jednego mrugnięcia, jakby chciała zatrzymać pociąg, który miał mnie zabrać. Kiedy zobaczyłam to chmurne, wymowne spojrzenie mego dziecka, przestałam widzieć cokolwiek i musiałam walczyć, żeby się nie zalać łzami.

W grupie odprowadzających zapanowało tymczasem ożywienie, a mała figurka przytulona do boku ojca, ocieniona jego wielkim parasolem stała wciąż nieruchomo. Pociąg ruszył, a ja na długo zachowałam poważne spojrzenie Joasi.

W ciągu tych kilku tygodni od przyznania stypendium tyle spraw musiałam na nowo poukładać. Nie było czasu na rozmyślania. Teraz leżę sobie tuż pod sufitem wagonu i mimo zmęczenia nie mogę zasnąć. Dręczy mnie widok wpatrzonej we mnie Joasi przytulonej do boku Pawła.

Myślę, że moja podróż będzie wielką próbą dla naszego małżeństwa. Nie najlepiej się ostatnio układało. Mój przystojny mąż jest zbyt łasy na wdzięki pań, chociaż wiem, że mnie kocha, że jestem ważna w jego życiu. Nieobce mu są drobne „męskie grzeszki". A co będzie podczas długiego rozstania? Wolę o tym nie myśleć.

Po przekroczeniu granicy NRD kontrole ustały i zasnęłam ukołysana monotonnym stukotem kół.

Obudziło mnie oślepiające słońce wpadające do przedziału przez nie zasłonięte okno. Moi radzieccy towarzysze podróży, odziani w dresy, piżamy i szlafroki, już prowadzili na korytarzu ożywione życie towarzyskie. Po nocy i za przyczyną słońca świecącego bez opamiętania zaduch się zrobił okropny. Po prostu – aromatyzowana łaźnia parowa. Poszłam do konduktora, żeby pertraktować, czy nie dałoby się jednak pootwierać okien i trochę przewietrzyć.

– *Zakon wosprieszczajet*! – usłyszałam.

Skoro ustanowiono na to specjalne prawo, nie ma rady.

– *Eto uże niedaleko, tolko szest czasow* – dodał *prowadnik* i zaproponował *czaj* lub *kofie*.

Dożyłam jakoś do końca jazdy i nieświeża wysiadłam na Gare du Nord* w Paryżu. Od razu ogarnęło mnie miłe, nie pozbawione niepokoju podniecenie. Czekała na mnie Baśka, moja szkolna przyjaciółka. Załadowałyśmy bagaż na wózek i powiozłyśmy go do samochodu, w którym czekał Antek z Julią. Tak się cudownie złożyło, że Antek jest administratorem foyer Polskiej Akademii Nauk w Paryżu przy ulicy Lauriston. Nie dość, że bez trudu dostałam tam miejsce, to jeszcze będę miała Baśkę na moją paryską samotność.

Szybko mijaliśmy skąpane w słońcu, tętniące życiem ulice i nie wiem, kiedy znaleźliśmy się na Lauriston przed stacją PAN-u. Rozlokowałam się w maleńkim pokoiku numer trzydzieści cztery. Przywiązuję wagę do magii liczb i numer pokoju spodobał mi się. Nie ma okna wychodzącego na

---

* Dworzec Północny

ulicę, tylko wysoko umieszczony świetlik. Dlatego ten pokój jest znacznie tańszy od innych, a to jest ważne dla mojej stypendialnej kieszeni. Zresztą, co mi tam okno, nie po to tu przyjechałam, żeby wysiadywać w pokoju.

Dopiero po północy, najedzona do syta specjalnie dla mnie przygotowanymi francuskimi przysmakami, wyrwałam się z opiekuńczych ramion moich przyjaciół.

Nazajutrz wyspana i wypoczęta rozpoczęłam moje życie paryskie.

Dowiedziałam się w fundacji, że oprócz zajęć w szkole musicalu mogę liczyć na opiekę redakcji „Rocznika Teatralnego" i wkrótce odezwie się do mnie pani redaktor.

Już nazajutrz zadzwoniła do mnie proponując spotkanie. Umówiłyśmy się na *déjeuner* w restauracji na pięćdziesiątym czwartym piętrze wieży Montparnasse.

Geneviève Murat okazała się osobą sympatyczną i bardzo ciekawą naszych obyczajów i kultury. Przypadłyśmy sobie mocno do gustu i po prawie dwóch godzinach miłego paplania wyznaczyłyśmy nasze następne spotkanie u niej w domu. Już w czasie pierwszego *rendez-vous* doradziła mi, że nie powinnam poprzestawać na zajęciach teoretycznych, ale rozpocząć aktywne działania na scenie. Dała mi nawet adres agencji artystycznej „Margot", zapewniając, że przygotuje tam dla mnie grunt.

– A cóż oni mogliby mi zaproponować? – pytałam z niedowierzaniem. Byłyby z pewnością kłopoty z moim „czarującym *accent slave*"*…

– Nie mam wątpliwości, że dałabyś sobie radę. Mam jednak wrażenie, że łatwiej będzie ci zacząć od śpiewania.

– Tylko że ja jeszcze nie mam francuskiego repertuaru…

– A kto tu mówi o repertuarze francuskim? Tego mamy tutaj dosyć. Zresztą to są przedwczesne obawy. Umów się tam najpierw, posłuchaj, co ci powiedzą. Potem będziemy się martwić.

Tak też uczyniłam. W Agencji przyjęła mnie starsza pani o monstrualnym biuście i tak niskim głosie, że nie mogłam się oprzeć wrażeniu, że rozmawiam z mężczyzną. Głos paradoksalnie przeczył biustowi. Do tego jej uczesanie nasuwało myśl o peruce.

– Ewa Rawska – przedstawiłam się.

– A ja madame Philippe – odrzekła ściskając moją rękę z taką siłą, że ledwie powstrzymałam

---

* słowiański akcent

się od krzyku, bo oczko pierścionka wbiło mi się w palec. Pomyślałam, że nazwisko ma dobrane wyjątkowo dobrze do powierzchowności – to przecież jest „Filip" jak się patrzy!

– Czy mówi pani po rosyjsku, czy zna pani piosenki rosyjskie, stare romanse, nowe i stare ludowe, no, wie pani, cały ten folklor słowiańsko-cygański? Głównie o to nam chodzi. No, co? Mówi pani po rosyjsku, czy nie? – zasypywała mnie gradem pytań.

– Proszę pani, jestem Polką. Oczywiście, mówię też po rosyjsku, uczono nas tego, ale...

– To dobrze. To bardzo dobrze – powiedziała i jej olbrzymi biust zafalował nad blatem biurka. – Nie interesuje mnie, czy pani jest Polką, Rosjanką, czy Czeszką.

Najeżyłam się.

– Najważniejsze jest to – ciągnęła madame Philippe – że wy, Słowianie, czujecie taką muzykę, czego o naszych artystach powiedzieć się nie da. Wy macie to we krwi.

– Może, proszę pani, tylko że ja mam zupełnie inny styl. Jestem aktorką i jeśli już śpiewam, to...

– Nieważne! – przerwała mi niecierpliwie.

Ogarnęło mnie rozgoryczenie. Nieważne! Wszystko nieważne. Po co ja w ogóle do nich tu przychodziłam? Co to za dziwna agencja.

Nieważne, kim jestem, skąd przychodzę, co dotąd robiłam. To co, u licha, jest dla nich ważne?

Jakby wyczuwając mój nastrój madame Philippe powiedziała:

– Wy wszyscy, którzy przyjeżdżacie ze Wschodu, przywiązujecie ogromną wagę do waszego dorobku i rodowodów. To może mieć, naturalnie, pewne znaczenie, ale tylko w przypadku gdy staniecie się tutaj „kimś". Tymczasem u nas i tak nikt o was nie słyszał – mówiła bez owijania w bawełnę. – Przybywacie tu w poszukiwaniu pracy, nawet jeśli z teczką wypchaną najlepszymi u was recenzjami.

– Ja nie przybyłam na poszukiwanie pracy. Mam stypendium francuskiej fundacji teatralnej…

– Postawię sprawę jasno – nie zważając na moje słowa powiedziała madame Philippe. – Ponieważ poleca panią Geneviève Murat, a ja ufam jej smakowi, postaram się coś dla pani zrobić. Ale musi pani dostosować się do naszych wymagań.

– Tak, rozumiem – przyznałam potulnie.

Madame Philippe zamilkła nagle i zaczęła wybierać numer na tarczy telefonu. Wpadłam w panikę, że puszcza już machinę w ruch. Czyżby miało to pójść piorunem?

Okazała się jednak ostrożniejsza, niż myślałam.

Nie zważając na moją obecność, zaczęła z kimś bezceremonialną rozmowę na mój temat.

– Geneviève Murat z „Rocznika Teatralnego" przysłała mi tu jakąś polską gwiazdeczkę – mówiła. – Zachwalała ją pod niebiosa, wiesz, jak to ona. Mało mnie obchodzi całe to jej *publicité** i co ona tam miała za sukcesy. Wszyscy przyjeżdżają tu z pięknymi opowieściami. Ta mała jednak, jest ładna i milutka, więc mogłaby się przydać w którymś z cygańskich czy rosyjskich kabaretów. Naturalnie jeśli potrafi śpiewać.

„Ta mała"! – pomyślałam zawstydzona. Poczułam się jak dzieciak, któremu może ofiarują cukierka, gdy wyrecytuje wierszyk. Policzki mnie paliły i miałam wielką ochotę uciec stąd natychmiast. Bezlitosna madame odgadła chyba moje intencje, bo dała znak ręką, żebym spokojnie siedziała. Po drugiej stronie słuchawki ktoś przez chwilę monologował, gdy tymczasem potężny babochłop lustrował mnie wnikliwie. Uśmiechnęłam się do niej nerwowo, na co kiwnęła z aprobatą głową, jakby ocena moich zębów wypadła zadowalająco.

– Nie. Nawet jej nie trzeba odchudzać – powiedziała do telefonu. – Mówiłam ci, że

---

* reklama

powierzchowność ma bardzo przyjemną. Sprawdź lepiej, czy zna rosyjski i jaką ma wymowę. – To rzekłszy oddała mi słuchawkę.

Mówił do mnie jakiś mężczyzna po rosyjsku, ale na pewno nie Rosjanin. Pogadaliśmy o pogodzie, o tym, jak mi się podoba Paryż i madame Philippe odebrała mi słuchawkę, zwracając się do interlokutora:

– No, jak? Mówi po rosyjsku?

Widocznie odpowiedź ją usatysfakcjonowała, bo jej wąskie wargi rozciągnęły się w uśmiechu.

– Lazar twierdzi, że mówi pani całkiem nieźle – powiedziała do mnie.

Mam nadzieję – pomyślałam, bo opiniodawca mówił o wiele gorzej ode mnie.

– Ten pan, to Rosjanin? – spytałam z niedowierzaniem.

– Ormianin, tutaj urodzony. Jest żonaty z Rosjanką. To muzyk – szepnęła do mnie.

Pożegnała się z nim szybko i odsunęła telefon.

– Et voilà, ot i nadszedł czas, aby wyznaczyć pani *audition**. Proszę się umówić na próbę z muzykami w kabarecie „Carewicz". Oto numer ich telefonu.

---

* przesłuchanie

– Bardzo pani dziękuję – powiedziałam w panice. – Ale czy to musi być już, natychmiast?

– Myślałam, że pani zależy, żeby podjąć pracę szybko? – powiedziała z nutką urazy.

– Oczywiście, ale ten tydzień mam już zajęty. Może w przyszłym?

– Dobrze. W przyszły piątek. Wtedy i ja będę mogła pani posłuchać.

Był czwartek. Miałam tydzień na przygotowanie trzech piosenek. Skąd je wziąć?

Podziękowałam madame Philippe i z ulgą opuściłam progi agencji „Margot".

Zgodnie z obietnicą zadzwoniłam do Geneviève, żeby zdać relację z przebiegu rozmowy.

– Odnoszę wrażenie – powiedziała – że nie wyszłaś stamtąd z entuzjazmem.

– Nie wiem, czy sprostam wymaganiom.

– Słuchaj Ewo, wybierzmy się dzisiaj wieczór do jednego z tych kabaretów. Zobaczysz, co się tam robi. Jestem przekonana, że będziesz zachwycona. Przyjedź do mnie o dwudziestej. Zrobimy sobie aperitif, a potem ruszymy na nocne szaleństwa.

Romansowa noc

Pomyliłam godzinę i przyjechałam o siódmej po południu, kiedy Geneviève ledwie wróciła z redakcji. Długo dzwoniłam i już miałam odejść rozczarowana, gdy drzwi się uchyliły i moja gospodyni wyjrzała owinięta płaszczem kąpielowym, z ręcznikiem na głowie.

– Już jesteś? – spytała zaskoczona.

– Przecież byłyśmy umówione o dwudziestej – powiedziałam zmieszana.

– To już ósma?

W tym momencie spojrzałam na zegarek i spłonęłam wstydem.

– Och, przepraszam! Nie wiem, jak ja patrzyłam.

Zegarek wskazywał siódmą.

– Daj spokój, wejdź. Widać bardzo pilno ci było do nocnych wrażeń. Będziesz musiała za karę ponudzić się trochę, bo, jak widzisz, jestem *sautée**.

Geneviève mieszkała w okazałym apartamencie przy ulicy Boileau. Dzieliła go niegdyś ze znanym kompozytorem Romainem Muratem. Dwa lata temu opuścił ją dla panienki o dwadzieścia lat młodszej od siebie.

– To dziwne, jak niewiele dowiadujemy się naprawdę o drugim człowieku żyjąc u jego boku. Wiesz, jak wygląda bez ubrania, jak oddycha, kiedy śpi, jakie ma apetyty, słabostki, upodobania i… pewnego dnia okazuje się kimś zupełnie innym. Po dwudziestu paru latach udanego, jak się wydawało, małżeństwa, oświadcza ci, że nie może nadal żyć w „nieszczęściu"… A prawda jest taka, że poleciał na nowość. Tacy są mężczyźni. Ciekawa jestem, czym twój mąż cię jeszcze uraczy…

Wzdrygnęłam się. Mogła sobie darować te przewidywania. Jest zgorzkniała. Trudno się jej dziwić, skoro Romain poczuł się nagle szczęśliwy u boku byłej zakonnicy, dziewczyny przebiegłej i nieładnej, którą poznał koncertując w klasztorze w Carcassone. Geneviève pokazała mi nawet fotografię owej „siostrzyczki". Nie mogłam się nadziwić.

---

* prosto z wody

To prawda, że była młoda. Geneviève ma już prawie pięćdziesiąt lat, ale gdyby mi tego nie powiedziała, osądziłabym ją na dziesięć mniej. Jest kobietą niezwykle atrakcyjną. Szczupła szatynka o żywych, wspaniałych oczach, mądra, dowcipna, wszędzie wzbudza zainteresowanie. Zakonnica to rumiana *paysanne** o wielkich, niezgrabnych dłoniach i szerokiej, płaskiej, pozbawionej wyrazu twarzy. Czym uwiodła pretensjonalnego i eleganckiego Murata – diabli wiedzą. To przykre, że po latach walki mojej przyjaciółki o sławę męża kto inny zbiera owoce.

– Dziwisz się Ewo – powiedziała odgadując moje myśli.

– Widzisz, jacy są mężczyźni! Ja to przebolałam, ale Paul nie potrafi się z tym pogodzić. Ojciec był u niego na piedestale. Od czasu jego odejścia zmienił się zupełnie. Wciąż podenerwowany, skarży się na bóle głowy, ma nagłe napady depresji… Wszystko, co dotyczy ojca, jest tematem tabu. Chce go wymazać z pamięci, a nie potrafi wyrzucić z serca. To nieprawda, że dorosłe dzieci nie przeżywają rozpadu rodziny. Gdyby jeszcze miał własną rodzinę, jak Géraldine… Zresztą,

* chłopka

ona zawsze wszystko brała lżej. Wybacz, że tak się rozgadałam, ale syn to moja pięta achillesowa.

Patrzyłam na moją nową przyjaciółkę, jak snując tę niewesołą opowieść krząta się po swoim zbyt obszernym dla niej samej mieszkaniu. Zastanawiałam się, co skłoniło ją do powierzania mi swych tajemnic przy tak krótkiej znajomości. Może czyni to właśnie dlatego, że jestem kimś z daleka, kimś z boku? Francuzi nie są zbyt wylewni wobec cudzoziemców. Zresztą wobec siebie też. U nich wszystko zawsze jest *ça va*! Ona jest inna. Z Francuzami niełatwo przechodzi się na „ty", zważają bardzo na hierarchie i pozycje. Geneviève jest ze mną po imieniu, co mnie nieco krępuje, bo jest ode mnie starsza. Ma jednak cudownie młodzieńczy sposób bycia i mimo głęboko skrywanego rozgoryczenia jest energiczna i czynna bardziej od wielu znanych mi młodych osób.

Myślałam o tym wszystkim siedząc w jej bladoróżowym salonie pełnym bibelotów i kwiatów. Wiatr przez otwarte drzwi na taras targał firanką. A za nią krzewy i drzewa w skrzyniach tworzyły wspaniały ogród. Tarasy ciągnęły się wokół całego apartamentu usytuowanego na ostatnim piętrze. Zasłony z ciężkiego rypsu podbite bladozieloną podszewką, za kotarą cały obity bladozielonym rypsem dawny pokój Romaina, w którym na centralnym miejscu stał wspaniały Steinway. Na pulpicie dotąd jeszcze były rozłożone nuty. Teraz nikt tu już nie grywa, bo nawet Paul zaniechał muzykowania, jakby przekreślając w ten sposób swoje związki z ojcem.

– Jeśli zdecydujesz się na pracę w kabarecie, możesz korzystać z mego fortepianu – powiedziała Geneviève idąc za moim spojrzeniem. – Przynajmniej będzie z niego jakiś pożytek.

– Dziękuję ci.

Patrzyłam z przyjemnością, jak przeistacza się pod wpływem dyskretnego makijażu i ślicznych jedwabnych łaszków. Kiedy była już gotowa, sięgnęła po telefon. Wybierając numer powiedziała:

– Jeszcze chwila. Muszę zadzwonić do przyjaciół.

– Halo, Marion? Nareszcie cię złapałam. Od południa was szukam, gdzie tak fruwacie? Nie, nic się nie stało. Chcę was tylko namówić na wypad do kabaretu. Wczoraj byliście? Ach, tak... Widzisz, jest specjalna okazja. Mam tu u siebie miłą osóbkę...

I Geneviève opowiedziała swojej rozmówczyni o mnie i o moim rychłym przesłuchaniu. Tamta nie pałała widać ochotą do wyjścia z domu, bo moja przyjaciółka musiała ją jeszcze przez chwilę namawiać.

– Poznasz dziś tylko Marion, bo Roger pojechał po swoją matkę do Bretanii. Biedna „Penelopa" czuje się bez niego zagubiona, dlatego musiałam ją namawiać. Ta znajomość może się okazać dla ciebie pożyteczna, bo oni wkrótce otworzą klub niedaleko Opery i będą potrzebować artystów. Poza tym są stałymi bywalcami takich przybytków i mają duże rozeznanie w środowisku. Już Marion nam podszepnie, dokąd warto pójść.

Marion okazała się dużą blondynką o bardzo słowiańskim typie urody. Jak na Francuzkę, sylwetkę miała nieco przyciężką, mimo to była atrakcyjna.

– Zamówiłam stolik u „Uljany". To ze względu na panią – uśmiechnęła się do mnie.

– Cały wieczór jest dla ciebie, Ewo – dodała Geneviève.

Jechałyśmy samochodem w kierunku Łuku Triumfalnego. Panie opowiadały mi o Uljanie. Była niegdyś skromną szansonistką, potem w podróży poznała zamożnego Anglika, który nie tylko ożenił się z nią, ale jeszcze nie skąpił kapitałów na realizację jej marzeń. W ten sposób stała się właścicielką najpierw małego kabaretu, a potem tego, który prowadzi obecnie w pobliżu Champs Elysées. Dawny Kopciuszek zamienił się w księżniczkę. Otoczona zespołem muzyków pomnażała swoją sławę i fortunę śpiewając „duszoszczipatielnyje" romanse.

– Nigdy by mi nie przyszło do głowy, że romanse mają tu aż takie powodzenie i że można na nich zarabiać. Ja nie przepadam za tym rodzajem muzyki – wyznałam.

– Nie zarzekaj się, jeszcze i ciebie to oczaruje.

– Dziwiłabym się.

Znając moje plany, Marion poradziła mi:

– Radzę pani dobrze przyjrzeć się temu, co się dzieje u Uljany. Jest mistrzynią tworzenia nastroju, potrafi przyciągać publiczność. Może pani nawet śmiało kopiować jej repertuar. I tak się o tym nie dowie. Jest w każdy wieczór zajęta u siebie i nigdzie indziej nie bywa. Nie przyjmuje też nigdy do pracy żadnych solistek. Otoczona męskim zespołem muzycznym jest tam wszechwładną królową, mającą niepodzielną władzę.

Legendarna Uljana przywitała nas osobiście. Była przystojną, dobrze zakonserwowaną brunetką, całkiem jeszcze atrakcyjną, choć już niemłodą. Zadziwił mnie jej strój. Jakaś migotliwa kreacja wyjęta żywcem z *Baśni tysiąca i jednej nocy*. Fałdy, welury, pajety – wszystko to rzucało błyski przy każdym jej ruchu, aż oczy bolały od patrzenia. W uszach miała karykaturalnie długie kolczyki wysadzane kolorowymi szkiełkami, które zwisały ciężko, niemal sięgając ramion. Przywitała się wylewnie z Marion i Geneviève, uprzejmie ze mną, podczas gdy chłopak w lśniącej, szkarłatnej i przewiązanej złotym sznurem rubaszce odbierał od nas okrycia. Poczułam się jak w operetce pośród aktorów przebranych i wystylizowanych starannie na poddanych cara.

Uljana wprowadziła nas do obszernej białozłotej sali, pełnej luster i kwiatów. Stoły z elegancką zastawą poustawiano w rzędach. Wielki inkrustowany samowar wyeksponowano na białym obelisku w rogu sali. Ustawione na stołach świece umieszczone w kielichach odbijały się w zwierciadlanych ścianach i napełniały salę migotliwym blaskiem. Na podium muzycy „robili" nastrój. Wszyscy ubrani byli w jedwabne kolorowe rubaszki wypuszczone na czarne spodnie. Nigdy w życiu nie widziałam tak wymuskanych *mużyków*, chyba tacy bywali u dworu cara. Na nasz widok ożywili się. Palce akordeonisty rozpędziły się po klawiszach, zawibrowały bałałajki, zawtórowały im cicho gitary. Uljana podeszła do nich i powiedziała coś cicho, wskazując dyskretnie na Geneviève. Tymczasem jeden z urodziwych przebierańców kręcących się po sali podał nam kartę potraw ozdobioną rosyjskim ornamentem. Moje towarzyszki zaczęły wybierać menu, a ja zdałam się całkowicie na nie.

Wkrótce podano nam dymiące bliny z jakąś pikantną przyprawą i łososiem, a także stanęła przed nami kolorowa Matrioszka, która okazała się być etui do wódki „Moskowskaja stoliczna". Przyglądałam się orkiestrze i ludziom na sali i nadal miałam wrażenie, że znalazłam się w teatrze, że uczestniczę w przedstawieniu orientalnej operetki. Taki właśnie panował tu blask, feeria kolorów i świateł, taka sama hałaśliwa wesołość. Wyglądało na to, że wszyscy się tu znają, co mnie zadziwiało, zważywszy na ogrom miasta, jakim jest Paryż. Rozmawiali ze sobą przez stoliki, zagadywali do orkiestry. Zachowywali się bardzo swobodnie. Nagle światło reflektorów wyeksponowało podium i pojawiła się na nim rozdająca wokół uśmiechy Uljana. Orkiestra zagrała parę taktów i niski, zmysłowy głos popłynął z mikrofonu.

„Nie ujeżdżaj ty moj gołubczik"... – prosiła gorąco *vedetta*, cyzelując ozdobniki i wydłużając efektownie fermaty. Bałałajki rozedrgały się na dobre, załkały skrzypce. Kontrabas rytmicznie powtarzał:

dadada, dadada, dadada. Melodyjka uderzyła prostotą i chwytała za serce. Gdy przebrzmiała, śpiewaczka opuściła głowę w ukłonie tak nisko, że jej monstrualne kolczyki, brzęcząc i ciskając ognie, zwisnęły aż do pasa. Kiedy się znów wyprostowała, w oczach jej pojawiły się wesołe błyski i w rytm żywej melodyjki zwierzyła się po francusku: „Maman, j'aime voyou", co miało znaczyć, że kocha łobuza. Była to fifurka, żarcik muzyczny oparty na paru dźwiękach i trzech czy czterech akordach. Publiczność klaskała rytmicznie. Wykonała potem jeszcze dwie pieśni, pełne zmian rytmu, namiętnych obietnic i histerycznej rozpaczy. Choć nie przepadałam za cygańszczyzną, musiałam przyznać, że robiło to wrażenie. Może przyczyniła się do tego trochę „Stolicznaja", może wyrafinowane brzmienie orkiestry, dość, że dałam się zauroczyć. Że też trzeba przyjeżdżać aż do Paryża – myślałam – żeby serwować sobie na deser to, czego nie szczędzono nam tyle lat odgórnie i urzędowo!

Potem na estradę wszedł mały niepozorny człowieczek z niewielką siedmiostrunową gitarą, ubrany skromnie w czarną koszulę i spodnie, z kolorową chustką na szyi. Na jego lisiej twarzy pojawił się uśmiech, gdy powitano go burzą oklasków, po czym publiczność przycichła w oczekiwaniu.

– *Dawaj, dawaj* Alioszka! – rozległ się okrzyk na sali.

Alioszka posłuchał. Przytulił do drobnego ciała niewielką gitarę i sala wypełniła się burzą dźwięków podnoszących gorączkę: „Gari, gari!" – zabrzmiał matowy głos. Już po paru taktach piosenki zrozumiałam, że oto stoi przede mną artysta. Muzycy odłożyli instrumenty i w skupieniu słuchali, podobnie jak publiczność. Wszyscy zapatrzyli się na Alioszkę, wsłuchiwali w jego ciepły głos wtopiony w jedno z akordami gitary. Chwytał za serce. Jakież on robił podziały rytmiczne!

– Kto to jest? – wyszeptałam.

– Słynny Aliosza z „Bojarina".

– Z czego?!

– Z kabaretu „Bojarin".

– Ach, tak... Jest wspaniały! Nie wyobrażałam sobie, że można tak grać i śpiewać romanse.

– No, widzisz – ucieszyła się Geneviève. – Wiedziałam, że się do tego przekonasz.

– Co z tego. Ja tak nigdy nie potrafię...

– To się jeszcze okaże.

Kręciło mi się w głowie od tej muzyki namiętnej i niepokojącej, którą pierwszy raz słyszałam w takim wydaniu. Wszystko to wydawało mi się cudownie proste i jednocześnie niebywale trudne, już się martwiłam, że może nie potrafię tak śpiewać, a takie to porywające.

Aliosza przeszedł po sali, ludzie witali się z nim serdecznie. Niektórzy częstowali go winem, ale przeważnie wciskali mu grube banknoty za struny gitary. Na końcu sali narzucił na plecy marynarkę i szybko wyszedł, unosząc ze sobą swoją nafaszerowaną frankami siedmiostrunową przyjaciółkę.

Marion chyba zapomniała o swoim oddalonym kochanku, bo opróżniwszy talerz, z kieliszkiem w ręku, patrzyła z uśmiechem na chłopaków z orkiestry. Podśpiewywała przy tym wysokim głosem. Było to coś znajomego. „Szaraban"! – doznałam nagle olśnienia. Przecież kiedyś śpiewałam to w „Podwieczorku". Słuchając orkiestry doszłam do wniosku, że bez kłopotu dam radę zaśpiewać co najmniej trzy utwory z ich repertuaru. Zapomniałam zupełnie o niechęci do śpiewania po rosyjsku. Przeciwnie. Nawet ogarnęła mnie niecierpliwość, żeby jak najszybciej wtopić swój głos we wspólne brzmienie gitar, domr, bałałajek i skrzypiec. Być jedną z nich: wzruszać, porywać, rozpalać. Zazdrościłam im muzykowania, świateł reflektorów, które wyłuskiwały ich z tłumu. Pragnęłam wejść do ich radosnej społeczności.

Ja nie artystka, ja szarlatanka

Po tygodniu poszłam do „Carewicza" na umówione spotkanie. Dotarłam tam za wcześnie i kabaret był jeszcze zamknięty. Spacerowałam po wąskiej uliczce Colonel Renard, bojąc się, że kabaret zlikwidowano lub zmienił właściciela. Wiedziałam z opowieści, że tak się już kiedyś zdarzyło, bo dawniej była tu przecież słynna „Pałata". Ale nie! Przyszedł jednak jakiś niewielki, czarniawy i wpuścił mnie do środka. Zaraz potem hałaśliwą grupą nadeszli muzycy. Najstarszy siadł do pianina, inny wyjął z futerału akordeon. Pozostali dwaj ze skrzypcami usiedli w niewielkiej, zastawionej stołami salce i z ciemności przyglądali się próbie. Byłam bardzo stremowana, ale muzycy okazali się biegli w akompaniowaniu i udało mi się zaśpiewać. Uprzejmie pochwalili mój głos i życzyli powodzenia. Zainteresowali się, skąd jestem, gdzie się uczyłam śpiewu. Opowiadałam im chętnie, bo po deprymującej rozmowie z madame Philippe szczęśliwa byłam, że wreszcie ktoś ciekaw jest tego, co dotychczas osiągnęłam.

Doszlifowałam jeszcze z pianistką piosenki i dowiedziałam się, że przesłuchanie odbędzie się o drugiej w nocy, kiedy kończy się program, ale są jeszcze goście w kabarecie. Mogłam zostać od razu i czekać, ale z pewnością zżarłaby mnie trema. Postanowiłam zatem wrócić do hotelu i przyjechać tu ostatnim metrem.

W drzwiach mego pokoju znalazłam kartkę:

> *Miła Pani! Właścicielka „Bojarina" pragnęłaby posłuchać, jak Pani śpiewa. Będzie czekała w „Szeherezadzie" przy ulicy de Liège o godzinie 0:30. Wiem, że potem ma Pani przesłuchanie w „Carewiczu". Ba! Trzeba będzie jakoś to pogodzić. Łączę pozdrowienia i trzymam kciuki.*
>
> *Jacek P.*

Coś podobnego! Kto to jest, u licha, ten jakiś Jacek P., skąd zdobył mój adres? Co to wszystko ma znaczyć i co ja mam robić? Przecież nie zdołam być w dwóch miejscach niemal równocześnie.

Mój Boże! Przecież „Szeherezada" to ten słynny kabaret znany mi z powieści Remarque'a! Istnieje więc naprawdę, nie jest tylko wytworem fantazji pisarza! Co za cudowny zbieg okoliczności – cieszyłam się. – A może ktoś żartuje sobie ze mnie? Chyba powinnam poradzić się Geneviève.

Zadzwoniłam i odczytałam otrzymaną kartkę.

– *Superbe*!* – wykrzyknęła moja orędowniczka. – „Bojarin" i „Szeherezada" to najdroższe, najbardziej snobistyczne i najlepsze kabarety cygańskie. Bywanie w nich należy obecnie do dobrego tonu. Jeśli masz szansę dostać się do któregoś z nich, jesteś w czepku urodzona!

– A jeśli to tylko kawał?

– Spróbuj się o tym przekonać. Nawet gdyby tak było, nic nie tracisz. Zdążysz jeszcze na *audition* do „Carewicza".

Uczyniłam, jak mi radziła. Nie był to żaden kawał. Rzeczywiście spodziewano się mnie w „Szeherezadzie".

– Michel Rykow, kierownik artystyczny – przedstawił się szpakowaty, ostrzyżony na jeża mężczyzna. Wprowadził mnie do środka i posadził przy małym stoliku obok orkiestry.

---

* Wspaniale, świetnie, cudownie!

Wysoki, urodziwy (milcz serce!) blondyn podszedł do mnie mówiąc:

– To ja jestem Jacek. Zabawiłem się w detektywa i odnalazłem panią na prośbę szefowej. Skrzypkowie z „Bojarina", którzy oglądali panią na próbie w „Carewiczu", opowiedzieli jej o pani. Ponieważ akurat potrzebuje śpiewaczki do orkiestry bałałajek, prosiła mnie, żebym panią odnalazł.

– Mój Boże, jaki świat jest mały! – Uśmiechnęłam się. – Przecież my się znamy, panie Jacku. Pamięta pan tę rewię międzynarodową, z którą jeździliśmy po Wybrzeżu?

– Naturalnie, że pamiętam. Dlatego z przyjemnością podjąłem się misji odszukania pani. Nie było to takie trudne, jest tylko jeden hotel polski dla stypendystów, na Lauriston.

– Śpiewa pan tutaj? – spytałam patrząc na jego stylizowany ubiór.

– Od niedawna.

Musieliśmy przerwać, bo oto w kabarecie pojawiła się legendarna właścicielka wielu przybytków sztuki. Serce podskoczyło mi do gardła i zaciskałam mocno zęby, żeby nimi nie dzwonić. Była szczupłą, wysoką i zgrabną kobietą w średnim wieku. Miała starannie uczesane włosy. Spojrzała na mnie władczo, ale stopniowo jej twarz, w miarę jak na mnie patrzyła, zaczęła się rozjaśniać przyjaznym uśmiechem. Była w towarzystwie szczupłego, wysokiego bruneta; jak się potem dowiedziałam, szefa orkiestry bałałajek z kabaretu „Bojarin". Ponieważ Madame nie mogła czekać, powiedziano mi, że zaraz mam wyjść na środek sali i pokazać, co umiem. Dosłownie tak mi powiedziano. Bez żadnej próby ani nawet rozmowy o sposobie wykonania piosenek. Ktoś odebrał mi nuty z rąk, rozłożył na pulpitach i zanim zdążyłam złapać oddech, wybrzmiała przygrywka i trzeba było zaczynać.

Pierwszy utwór wykonałam w półśnie, smęciłam jak półtora nieszczęścia, aż dziw bierze, że publiczność nie usnęła. Nie słyszałam zupełnie orkiestry ani siebie, tylko potężne bicie mego zajęczego serca. Mimo to usłyszałam po zakończeniu jakieś oklaski i to dodało mi nieco animuszu. Zaczerpnęłam powietrza i w rytm melodii zaczęłam odgrywać biedną dziewczynę, której strasznie zależy na tym, żeby sprzedać gorące placuszki zwane „bubliczkami". Tak bardzo poczułam się w jej skórze, aż dosłyszałam zjadliwy szept gdzieś z boku, pochodzący prawdopodobnie z loży szyderców, czyli artystów:

– Ale się zagrała! Robi tu teatr…

Rozwścieczyła mnie ta uwaga i postanowiłam dać z siebie wszystko. Niech wiedzą!

Złapałam nagle kontakt z publicznością i zaczęłam przedzierać się przez gęsty obłok tremy. I jako „Szarlatanka" wzbudziłam entuzjazm sali. Tak mnie to rozzuchwaliło, że na zakończenie zaimprowizowałam jeszcze osiem taktów efektownej czeczotki.

Żartując kiedyś z Geneviève mówiłam, że jeśli przejdę pomyślnie przez przesłuchanie, tekst refrenu „Ja nie artystka, ja szarlatanka" będzie moją dewizą na Paryż.

Sądząc z aplauzu widowni rzecz się dokonała: umarła Artystka, niech żyje Szarlatanka!

Władczyni malowanych lochów „Szeherezady" skinęła na mnie łaskawie wytworną, obleczoną w jedwabie ręką i wskazała mi miejsce obok siebie.

Zasyczało w kąciku dla artystów. Policzki mnie paliły. Czułam się jak we śnie. Piwnice kabaretu, stylizowane na wnętrza bajkowych pałaców Wschodu, mrugały do mnie przyjaźnie dziwacznymi kinkietami. Z loży we wnękach z filarami patrzyły życzliwe oczy publiczności.

Rozmowa zaczęła się milutko i dotyczyła nic nie znaczących spraw. Kiedy już poczułam się rozluźniona, Madame nagle zrobiła się chłodniejsza i jakby nabrała czujności. Jej ładne, nie tknięte makijażem oczy zaczęły uciekać od mnie spojrzeniem. Przeraziłam się, że może palnęłam w rozmowie jakieś głupstwo i wszystko sobie popsułam. Myliłam się jednak. Nie znałam jeszcze tutejszych zwyczajów i nie wiedziałam, że kiedy zaczyna się rozmowa o pieniądzach, kończą się karesy. W moim przypadku jednak Madame mogła sobie darować wszelką czujność i taktykę, bowiem byłam dziecinnie łatwym partnerem do takich rozmów. Po pierwsze nie miałam zielonego pojęcia o tym, jakie są stawki artystów, po drugie bardziej zależało mi na występach niż na zarabianiu (miałam przecież stypendium), a po trzecie przy relacjach frank-złotówka nawet mało wyglądało na sporo. Przedstawiona propozycja wydała mi się całkiem *raisonable** – jak powiadają Francuzi – i zaakceptowałam ją. Rozmowa natychmiast odzyskała poprzednią lekkość.

Ustaliłyśmy, że pracę podejmę za dwa tygodnie. Musiałam uzupełnić repertuar i zdobyć kostiumy. Teraz nie nastręczało to już wielkich trudności. Na koniec moja nowa szefowa zaproponowała, żebym pojechała z nią do „Bojarina". Naturalnie, że chciałam, ale przecież byłam umówiona w „Carewiczu". Powiedziałam jej o tym. Zdecydowała,

---

* rozsądna

że sama to załatwi z madame Philippe. Zadzwoniła do agentki i odbyła z nią burzliwą rozmowę. Spierały się o jakiś procent. Kiedy odłożyła słuchawkę, była lekko zdenerwowana. Poprosiła mnie, żebym nie mówiła madame Philippe, że dotarła do mnie dzięki próbie w „Carewiczu". Obiecałam, że dostosuję się do jej prośby.

„Bojarin"

Tuż przy Polach Elizejskich, powyżej alei George V, idąc od Łuku Triumfalnego, w wąskiej uliczce istniał przez długie lata nocny klub słynący z tego, że śpiewały w nim wielkie gwiazdy estrady. W drugiej połowie lat sześćdziesiątych lokal zmienił właściciela i tak narodził się „Bojarin".

Nasz samochód zatrzymał się właśnie przed zdobnym w rosyjskie ornamenty wejściem do „Bojarina" i szofer z fasonem otworzył nam drzwi. Dwaj młodzi ludzie o atletycznej budowie, ubrani w czerwone kostiumy ze złotym szamerunkiem wyszli z wnętrza kabaretu i skłonili się przed szefową.

– Niech pani usiądzie przy barku i zostanie, ile się pani spodoba. – powiedziała szefowa i odeszła do stolika we wnęce po prawej stronie sali.

Siedziałam sobie w kąciku, na wysokim stołku barowym, patrzyłam i słuchałam. Liczna, prawie dwudziestoosobowa orkiestra grała porywająco wielkie przeboje muzyki klasycznej. Rozpoznałam Enescu, Rachmaninowa, Borodina, Worobiewa. Rej wodził skrzypek o białych czy też siwych włosach, który grał brawurowo partie solowe, a czasem śpiewał. Głos miał niewielki, ale wykonywał piosenki z ogromną muzykalnością i wdziękiem.

– To Paul Monti, pierwszy skrzypek opery paryskiej i szef słynnych „Paryskich smyczków" – poinformowała mnie nagle po polsku krzątająca się w barku kawowym dziewczyna o ciemnych, ściętych na pazia włosach.

– Pani jest Polką? – spytałam.

– Jak słychać. Sporo nas tutaj – odrzekła. – Mam na imię Teresa.

Sympatyczna Teresa szybko wprowadziła mnie w to, co się dzieje w kabarecie.

Kolejno wychodzili artyści, zmieniały się orkiestry, uwijali kelnerzy, strzelały korki od szampana. Istna parada karnawałowych przebierańców. Widzowie rozpierali się wygodnie na miękkich kanapach i fotelach pokrytych wilczymi skórami. Co jakiś czas robił się szum nadzwyczajny, orkiestra grała tusz, potem smyczki spoczywały, a muzycy śpiewali chórem starą rosyjską pieśń biesiadną:

Jak pachnący kwiatek
Wonie swe rozsiewa,
Tak niech złoty trunek
Serca nam rozgrzewa…

Teraz był to sygnał do toastu. Z wielką ceremonią piło się tu zdrowie jakiegoś jubilata, solenizanta czy fundatora. Kelner pośpiesznie otwierał butelki szampana. Mistrz Monti odwrócił skrzypce strunami na dół i na grzebiecie postawił napełniony złocistym płynem kielich. Kontrabas podyktował rytm, a muzycy stojąc wiankiem wokół stołu wyskandowali: *piej do dna, piej do dna, carycaca-ca-ca!*" Osoba, przed którą ustawił się Monti, podniosła się z miejsca i okazała się smukłym młodym mężczyzną. Stał tyłem do mnie i nie mogłam zobaczyć jego twarzy. Musiał wychylić do dna swój kieliszek szampana i muzycy przypilnowali, żeby uczynił to dokładnie. Po opróżnieniu cisnął nim o parkiet. Szkło roztrysnęło się na wszystkie strony. Nikogo to nie zgorszyło, przeciwnie, rozległy się oklaski. Natychmiast pomocnik kelnera pozamiatał szkło na szufelkę. Proceder ten powtórzył się jeszcze kilka razy z innymi gośćmi, wszyscy reagowali radośnie na brzęk tłuczonego szkła, nikt nie powstrzymywał wandali.

– Mój Boże – powiedziałam – co to za oryginalny sposób bawienia się!

– Nie co dzień tak bywa. Dziś obchodzi urodziny znany gwiazdor Daniel Sauval.

– Naprawdę? Świetny facet. Wspaniale śpiewa i jest diabelnie przystojny.

– No to sobie go pani obejrzy. Wszyscy tu przychodzą od czasu do czasu. Wszyscy wielcy i znani.

Spojrzałam na zegarek. Była trzecia rano.

Soliści poprzebierani już w swoje prywatne stroje przystawali na chwilę przed blondyną przy kasie, po czym znikali na schodach. Zainteresowałam się tym dziwnym obrządkiem. Przed kasą stała drobna dziewczyna o ściągniętej twarzy. Przed chwilą widziałam ją w akcji ubraną w jakieś wymyślne, „cygańsko-czort wie jakie" szatki. Wspaniały, wielki głos.

– To Irit – wyjaśniła Teresa. – Jest Żydówką.

Irit stała i stała przy barze, patrząc w napięciu na tlenioną blondynkę, ubraną z pretensjonalną kokieterią. W uszach błyszczące kolczyki, świecący naszyjnik i karminowe jędzowate usteczka. Udawała, że nie dostrzega stojącej przed nią piosenkarki. Przewracała bez sensu papiery, przekładała je z miejsca na miejsce, czasem opierała łokcie na blacie i błądziła spojrzeniem po sali. Patrzyła wszędzie, byle nie na Irit. Zaczęła mnie bawić ta scena. Śledziłam reakcję dziewczyny. Zobaczyłam, że oczy jej pociemniały i zagryza wargi ze złości, ale nie mówi nic. Stoi i czeka.

– Czemu ta Irit tak się w nią wpatruje? – spytałam.

– Gdzie? Ach... Czeka na wypłatę. A Cecile jest złośliwa i czerpie satysfakcję z upokarzania artystów. Niewyżyte kompleksy. – Teresa wzruszyła ramionami. – Kupa dziwaków, jeszcze się pani napatrzy.

– A któż to taki ta cała Cecile?

– Kasjerka, cerber, „ucho" właścicielki. Sama zobaczysz, jak popracujesz. – W ten sposób Teresa gładko przeszła ze mną na „ty".

Irit zebrała się w końcu na odwagę i wydukała coś do platynowej. Ta pogrzebała w skrzyneczce i podała piosenkarce kopertę.

– *Merci* – wyrzuciła z siebie jak przekleństwo Irit i szybko odeszła w kierunku schodów.

Nastąpiła wreszcie chwila, kiedy orkiestra zagrała pożegnalnego marsza jubilatowi, który podniósł się z miejsca i podążał do wyjścia. Daniel Sauval szedł w naszym kierunku przepuszczając przed sobą szczupłą, ubraną na różowo szatynkę. Kiedy się zbliżył, znieruchomiałam z wrażenia. Chyba nigdy nie widziałam nikogo aż tak przystojnego. Gapiłam się na niego jak sroka w kość i chyba ściągnęłam go spojrzeniem, bo kiedy nasze oczy się spotkały, aż przystanął. Twarz rozjaśnił ujmującym uśmiechem, a ja zaczerwieniłam się po uszy i spuściłam oczy.

– No, no, no! *Coup de foudre**, Ewa, widzę, że masz pełne szanse – zażartowała Teresa.

Gwiazdor minął nas i wtedy nie wytrzymałam, popatrzyłam za nim. Złapał mnie na tym, bo też się za mną obejrzał. Widząc moje zmieszanie roześmiał się szeroko i powiedział:

– *Au revoir, bellissima* – i zniknął na schodach.

– Widzisz – powiedziała Teresa – jeszcze tu nie pracujesz, a już masz wielbiciela, i to jakiego!

– Ściągnęłam go wzrokiem. Ale szatan!

Sala opustoszała i zapanowała w niej kojąca cisza. Wygaszono czerwone kinkiety i świece ustawione na stołach, a w zamian ostre białe światło zalało pomieszczenie, obnażając bezlitośnie cały jego sztuczny przepych, pozbawiając ciepła i tajemniczości. Wytarte plusze, plamy na dywanach, odłamki szkła na parkiecie. Wnętrze kabaretu przywodziło teraz na myśl dziewczynę uliczną,

---

* miłość od pierwszego spojrzenia, grom z jasnego nieba

która w budzącym się świetle dnia traci cały swój kuszący urok, ukazując tanie rozmazane kosmetyki i bruzdy na steranej życiem twarzy. Bo cudowne nocne rajskie ptaki, których sprzymierzeńcem jest ciemność, dniem wyglądają, jakże często, jak pospolite, mocno podskubane kury…

Cygański byt porzucić przyszła pora

Ostatnio nieczęsto widywałam się z Geneviève. Obie byłyśmy zapracowane. Od czasu, kiedy zabrałam ją na głośny film Wajdy *Człowiek z marmuru* do Instytutu Kultury Polskiej, prawie się nie rozstajemy. Stało się to za przyczyną mego przyjaciela, krakowskiego rzeźbiarza Łukasza. Jest narzeczonym mojej serdecznej przyjaciółki i sąsiadki warszawskiej, Jagi. To niezwykle przystojny, trzydziestoparoletni lowelas. Przez całe życie ugania się za kobietami starszymi od siebie. Zupełnie zapomniałam o tej jego słabości, bo w przeciwnym razie, przez lojalność względem Jagi, nigdy nie odważyłabym się go zetknąć z Geneviève. Nie pierwszej wiosny, ale wyglądająca młodo, szczupła, elegancka, błyskotliwa, niebanalna... słowem – ideał!

– Ledwie przyjechałem, a tu takie niesamowite zderzenie – szeptał do mnie Łukasz.

– Mh… – mruknęłam, bo w tym momencie zauważyłam o dwa rzędy przed nami Daniela Sauvala. Poznałam go, bo odwrócił się, by szepnąć coś siedzącej obok niego kobiecie. Z nie wyjaśnionego powodu poczułam w sercu ukłucie zazdrości. Była to ta sam kobieta, z którą widziałam go, gdy pierwszy raz odwiedziłam „Bojarina".

– Powiedz mi, na Boga, kto to jest? Jak się nazywa? – szeptał za plecami Geneviéve Łukasz, szarpiąc mnie za rękaw.

– Daniel Sauval – odrzekłam nie spuszczając wzroku z idola – kompozytor i piosenkarz.

– Zwariowałaś?! – powiedział Łukasz – o kim ty mówisz, mnie chodzi o nią! – i wskazał palcem na plecy Geneviève. – Nigdy jeszcze nie spotkałem takiej wspaniałej dziewczyny!

Zamurowało mnie. Nie wpadłabym na to, żeby moją leciwą przyjaciółkę określić mianem „dziewczyna"!

– Opanuj się – powiedziałam. – Ona ma dzieci niemal w twoim wieku.

– Cudowna, cudowna! Powiedz jej to ode mnie.

– Sam jej powiedz, nie będę się wygłupiać.

Ktoś siedzący z tyłu zwrócił nam uwagę, że przeszkadzamy w słuchaniu. Trwała właśnie prelekcja przed filmem. Rozejrzałam się po sali, przyszło tu wiele znakomitości z paryskich kręgów kultury.

Zgaszono światło i zaczął się seans. Byłam zafascynowana obrazem, tymczasem Łukasz i Geneviève przekazywali sobie nieustannie za moimi plecami komplementy i podziękowania, napominani wciąż przez sąsiadów. Ku memu zdumieniu, moja zgorzkniała przyjaciółka dała się wciągnąć do ryzykownej zabawy. Pewnie nie uszło jej uwagi, jaki ten nicpoń jest przystojny. Chociaż byłam przekonana, że czyni to dla żartu, cieszyłam się, iż spogląda wreszcie łaskawiej na jakiegoś mężczyznę, bo jej cynizm w sprawach męsko-damskich zaczynał mnie już nużyć. Wszystkie miłości i małżeństwa widziała od najgorszej strony i krakała, że i mnie Paweł jeszcze kiedyś przysporzy goryczy.

Obie byłyśmy bardzo zajęte, ale Geneviève znajdowała miliony pretekstów, żeby mnie nieustannie widywać. Odbywałyśmy długie rozmowy, które kręciły się wokół Łukasza. Jeśli nie mogłyśmy się spotkać, dopadała mnie telefonicznie i ciągnęła ulubiony wątek. Początkowo nie zwróciłam na to specjalnej uwagi, potem jednak doszłam do wniosku, że chyba zaczęli się widywać, bo inaczej skąd brałaby pożywkę do ciągłych rozmów o nim?

Byłam w niezręcznej sytuacji. Nie dość, że Łukasz od paru lat mieszka z moją przyjaciółką, to jeszcze, moim zdaniem, jest ostatnim człowiekiem, jakiego odważyłabym się obdarzyć uczuciem. Tymczasem moja bystra Geneviève jest zupełnie zaślepiona. Którejś niedzieli spotkaliśmy się we troje u niej na obiedzie. Zachowując resztki pozorów, pozwoliła, abyśmy wyszli od niej razem. Po drodze przyparłam Łukasza do muru:

– Co będzie z Jagą?

– Jaga jest wolna. Robi, co chce. Ja jej nie sprawdzam i ona mi też do rozporka nie zagląda – zakończył dosadnie.

– Masz swoisty punkt widzenia – powiedziałam z niesmakiem. – Nie masz prawa postąpić z Geneviève, jak to masz w zwyczaju. Ona się już dosyć nacierpiała.

– Nie porównuj mnie z tym narcyzem Romainem! – odparował.

Był, widać, wtajemniczony. Póki walczył o jej względy, kierowały nim szlachetne porywy.

– Widzę, że znasz go lepiej niż ja – powiedziałam z przekąsem i zmieniłam temat.

Wkrótce Łukasz wyjechał do Londynu, a potem grzecznie wrócił do Jagi. Geneviève, zauroczona nim bez reszty, była niepocieszona.

Szukała niezmiennie mego towarzystwa, żeby o nim rozmawiać. Zorientowałam się szybko, że w swoich zapędach nie wykroczyli chyba poza ramy erotycznego gadulstwa. Spędzili parę nocy przy butelce wina, prowadząc długie rozmowy. Właściwie Łukasz gadał, żeby pobudzić jej wyobraźnię, a ona słuchała. Ostatnio przeszedł na buddyzm, toteż roztaczał przed nią iluzje reinkarnacji. Wiedział, kim była w poprzednich wcieleniach i kim będą oboje w przyszłości. Spotykali się dotychczas wiele razy, ale na tym nie koniec, bo czeka ich jeszcze długie razem tu na ziemi i „w niebycie bytowanie". Bytowanie w niebycie! – aż podskoczyłam z radości słysząc ten paradoks. Ale moja mądra, poczciwa Geneviève wszystkie te afektowane bzdury traktowała niezwykle poważnie, usłyszała je bowiem z ust miłego. Ze starannością wrażliwego artysty, a takim był niewątpliwie, zadbał o to, by wzmiankami o jej poprzednich wcieleniach pochlebić jej dumie. Bywała księżniczką indyjską, jedną z najmądrzejszych wróżek Kleopatry, pasterką grecką i diabli wiedzą, czym jeszcze, ale zawsze była to postać efektowna i nad wyraz romantyczna.

– Mój Boże! – wzdychała z zachwytem – jakiż on jest wzruszająco młody! Wyobraź sobie, powiedział mi, że jak skończy pięćdziesiąt lat, rzuci wszystko i pojedzie do Azji, żeby wstąpić gdzieś w Tybecie do klasztoru. Jego marzenie to zostać mnichem.

Zauroczenie Łukaszem i mnie przyniosło nieoczekiwane profity. Geneviève miała potrzebę mówienia o swoim lubym do kogoś, kto go znał, a więc nie ustawała w kontaktach ze mną. Chwytała się byle pretekstu, aby spotkać się ze mną, i tak kierowała rozmową, by wreszcie mówić o kochanku. Zaczęła wpadać do „Bojarina" i innych miejsc, gdzie śpiewałam, i zaczęła czynić starania, żeby mnie tu i tam zatrudniono. W ten sposób znalazłam się na liście wykonawców „Télé Dimanche". Program emitowany jest na żywo o najkorzystniejszej pod słońcem porze, bo w niedzielę o czternastej trzydzieści. Jest to czas, kiedy w całej Francji, jak długa i szeroka, jej mieszkańcy kończą świąteczne *déjeuner* i przy deserze i kawie gapią się w telewizory. Musiałam wypaść dobrze, skoro zaangażowano mnie na jeszcze dwie kolejne niedziele. Pojawiło się też sporo wzmianek o mnie w prasie. Kiedy zebrało się ich aż dziesięć, umieszczono moją fotografię i notkę biograficzną w „Roczniku Teatralnym", co znaczyło, że zaczęłam się liczyć w paryskim show-biznesie.

Poszło mi to zaprawdę łatwo, bo niektórzy gromadzą pozytywne recenzje miesiącami i latami. Zamieszczenie wiadomości o kimś w tej księdze jest dożywotnie, odnawia się je co roku i można liczyć na to, że któryś z agentów wybierze cię do jakiegoś znaczącego programu czy festiwalu. Tak też było ze mną. Zaczęłam otrzymywać coraz ciekawsze propozycje.

Tymczasem mój pobyt stypendialny dobiegał końca i byłam w rozterce, co dalej robić. Pilno mi było do rodziny i do kraju, a tu pojawiały się różne nęcące propozycje. I wreszcie taka, której nie chciałam odrzucić: trasa koncertowa po Lazurowym Wybrzeżu i Hiszpanii. Główną postacią na afiszu miał być Daniel Sauval!

Zadzwoniłam do domu, żeby podzielić się nowiną, ale Paweł szybko zgasił mój entuzjazm.

– Wszystko to bardzo piękne, ale my po trochu zapominamy, jak wyglądasz. Chyba, do diabła, nie masz zamiaru wyemigrować?

Po długiej, burzliwej naradzie uchwaliliśmy rozwiązanie kompromisowe. Miałam porzucić „Bojarina" tuż po zakończeniu zajęć stypendialnych, wrócić na wspólny urlop do domu, a potem wyjechać jeszcze tylko na ten parotygodniowy kontrakt.

Ostatni mój wieczór w „Bojarinie" był bardzo miły. Wszyscy okazywali mi sympatię i żal, że ich opuszczam, a chłopcy z orkiestry bałałajek wynieśli mnie na ramionach do postoju taksówek na Polach Elizejskich.

Lazurowa przygoda

Nie zdążyłam pomieszkać w domu ani nacieszyć się rodziną, gdy nadeszła pora, żeby wyruszyć do Nicei. Miały się tam odbyć próby z orkiestrą, a potem objazd po Lazurowym Wybrzeżu i Hiszpanii. Po dwóch godzinach lotu przy pięknej pogodzie, na lotnisku Orly odbiera mnie Geneviève. Jadę do niej na nocleg, jutro skoro świt mam samolot do Nicei.

Z okien samochodu radośnie przyglądam się Paryżowi. Białe secesyjne kamienice mrugają do mnie przyjaźnie pomarańczowymi szybami odbijającymi zachód słońca. Gawędzimy miło przy kolacji, na którą gospodyni nie omieszkała do mięsa podać fasolki szparagowej. Wierzy w zbawienną moc tej jarzyny. Był też – a jakże – mój ulubiony placek z morelami. A na koniec elektryzująca wiadomość, rzucona mimochodem:

– Czy wiesz, że Łukasz za tydzień przyjeżdża tu na stałe i zamierzamy się pobrać?

To dopiero nowina! Więc jednak zostawia Jagę. Byłam tylko trzy tygodnie w Polsce i nie zdołałam się z nią spotkać.

Nazajutrz wstałyśmy o świcie, żeby zdążyć na lotnisko. Pech chciał, że samochód Geneviève rozkraczył się tuż przy Porte d'Orléan i trzeba było wsiąść do metra, żeby na Denfert-Rocherau złapać autobus.

O dziewiątej rano Bob, nasz menedżer z agencji paryskiej, odebrał mnie na lotnisku w Nicei. Jechaliśmy prosto na próbę do hotelu „Negresco". Trochę zbiło mnie z tropu to, że próba jest od razu, bo myślałam, że przedtem zdołam się trochę odświeżyć, zmienić sukienkę, zajrzeć w nuty. A tu trzeba natychmiast stawić czoło nowej przygodzie.

Witam się z zespołem. Oprócz „Gwiazdora" i osiemnastu miss regionów jest tu Pascal Bocquet – sympatyczny brzydal, śpiewający poeta; Chantal – wdzięczna filigranowa gwiazdka piosenki młodzieżowej; Eddy Tor – znany jazzman.

Wszyscy, podobnie jak ja, trochę spięci, skupieni na tym, jak potoczy się próba.

Bob po rozmowie z reżyserem proponuje, że zaprowadzi mnie do pokoju, bo zanim wejdę na scenę, upłynie co najmniej godzina.

Wezwał mnie telefon. Zjechałam windą do sali, gdzie był już tylko reżyser i orkiestra. Na początek krótka próba sytuacyjna. To, że jestem sama, bardzo ułatwia mi pracę, mogę się skupić, bez dodatkowych emocji spokojnie zestroić z orkiestrą. Muzycy żartują ze mną, uśmiechają się życzliwie. Dobra nasza! Ich akceptacja to połowa drogi do unii z zespołem. Dowiaduję się, że pierwszy koncert jest dziś wieczorem.

Po południu układam się w leżaku na balkonie. Patrzę na lazurowe morze, które roztacza się przede mną tuż za bulwarem des Anglais. Czuję jego zapach. Potem jeszcze raz sprawdzam kostiumy i o umówionej godzinie schodzę do holu, aby zająć miejsce w autokarze. Zupełnie, jakbym wyruszała gdzieś w trasę z moimi kolegami w Polsce. „Główna atrakcja" naszego programu jedzie chyba własnym samochodem, bo nie widzę go wśród nas.

– Ewa Rawska, nasz miły gość z Warszawy. Przez ostatni rok śpiewała w paryskim „Bojarinie".

Brawa. Wchodzę na scenę. Śpiewam. Kłaniam się. Brawa. Kłaniam się jeszcze raz i jeszcze...

– Wierzę, wierzę, wierzę! – mówi do mnie filar programu stojący w kulisie. Od jego uśmiechu serce bije mi szybciej.

– Słucham?

– Mówiłem, że wierzę w to, o czym pani śpiewa. W nastrój i... Nie mieliśmy okazji się poznać. Kiedy zszedłem ze sceny na próbie, pani gdzieś się ukryła. Daniel Sauval...

– Łudzi się pan, że jest ktoś, kto pana nie zna?

– Ma pani ładne oczy. Oglądałem pani zdjęcie w „Roczniku Teatralnym". Zachwyciło mnie, ale to, co oglądam w naturze, zachwyca jeszcze bardziej.

– Miło mi. Czy powinnam zrewanżować się komplementem?

– O, tak! Bardzo proszę o rewanż!

– Ma pan ładne oczy. Oglądałam pana zdjęcie w „Roczniku", ale to, co oglądam w naturze... – recytowałam.

Roześmiał się. Rozbrajająco. „Missy" przyglądają się nam. Pewnie mi zazdroszczą. Czuję, jak rosną mi skrzydła, choć nie mam tytułu królowej piękności. Żartujemy jeszcze chwilę i rozstajemy się, bo Gwiazdor musi się skupić. Za chwilę jego show zakończy koncert.

– Zadowolona? Udało się! – mówi do mnie Bob.

– Trochę byłam nieprzytomna, wie pan, pierwszy raz i po podróży. Jutro będzie lepiej. Przeszłam już chrzest.

Po koncercie idziemy razem na kolację. Daniel wymanewrował sobie miejsce obok mnie. Nie jestem tym zmartwiona, mam nadzieję, że Paweł mnie rozgrzeszy. Jestem ośrodkiem zainteresowania. Wypytują mnie o Polskę, o to, jak u nas się pracuje. Nie znają naszych artystów, poza paroma gwiazdami filmu. Kolacja nie trwa długo. Żegnamy się jak starzy przyjaciele i ukrywamy w swoich pokojach. Mieszkamy wszyscy na jednym piętrze, niedaleko siebie.

Biorę kąpiel, czytam i długo nie mogę zasnąć. Otulam się szczelnie w puszysty szlafrok i siadam na balkonie. Wiatr rozkołysał liście palm rosnących na przybrzeżnym bulwarze. Wdycham słony, kojący zapach morza. Powoli zaczynam zapadać w sen. Z ociąganiem podnoszę się z leżaka i idę do łóżka. Śni mi się masa rzeczy. Jakieś parady, balety, muzyka i Daniel w szkockim stroju tańczący wymyślny taniec na molo. Wiatr zrywa mu czapkę i unosi w morze. On chce ją dogonić i tak odpływa coraz dalej i dalej, aż za linię horyzontu. Budzę się. Przez otwarte okno wpada do pokoju chłodne powietrze. Otulam się i zasypiam twardo, bez snów. Słyszę dzwonek. Nie mogę się zorientować skąd. Zanim podnoszę słuchawkę, upływa spora chwila.

– Przykro mi, że obudziłem panią – słyszę głos Gwiazdora.

– Nie szkodzi. I tak musiałam wstać, bo dzwonił telefon – odpowiadam mu wyświechtanym polskim dowcipem. – A która to godzina?

– Wpół do dziesiątej. Śpioch z pani.

– Zawsze trudno zasypiam na nowym miejscu.

– Może ja straszyłem panią we śnie?

– Żałuję, ale nie – skłamałam.

– Szkoda. Czy mimo tego dałaby się pani porwać na *déjeuner* do Beaulieu?

– Może. Tylko będzie pan musiał wymawiać moje imię po polsku – Éwa, akcentując na pierwszej sylabie, dobrze?

– *Avec plaisir*, Éwa. *Ça va*!* A więc o jedenastej w holu na dole. Zdąży pani?

– Naturalnie. Nie jestem guzdrałą.

– To świetnie. Bardzo się cieszę, *à toute à l'heure*!**

– Na razie – odłożyłam słuchawkę.

Czy ja sobie nie za wiele pozwalam? Co by Paweł powiedział? Chociaż przecież to naturalne, że w trasie jada się obiad z tym czy innym kolegą... tylko że żaden z kolegów w kraju nie podobał mi się jak ten...

Wychyliłam się na balkon, żeby zobaczyć, jaka jest pogoda. Słońce świeciło jak w lipcu. Poprzez

---

* Z przyjemnością, Ewa. Świetnie.

** Do zobaczenia za chwilę.

korony palm, po drugiej stronie bulwaru, widoczna była plaża. Pod parasolami, na drewnianych leżakach i w wodzie było sporo ludzi.

Wyrzuciłam szybko zawartość szafy i zaczęłam przed lustrem przymierzać szmaty. Po długich wahaniach zdecydowałam się na powiewną bladożółtą suknię z bawełny, słomkowy kapelusz i wygodne sandały.

Moje śniadanie stygło na stoliku. Wypiłam tylko sok i skubnęłam croissanta.

Uporządkowałam ubrania i poczułam, że ogarnia mnie panika, bo przypłynęły do mnie wątpliwości, czy nie za gorliwie wyraziłam zgodę na tę eskapadę. To bardzo uprzejmie, że mnie zaprosił, zresztą to zapewne gest wobec cudzoziemki. To tylko ja mam jakieś głupie skrupuły, nie wiem sama po co. Gdyby zaproszenie padło ze strony sympatycznego brzydala Robina Bocqueta, na pewno przyjęłabym je naturalnie. Ale Daniel nie jest brzydalem i pewnie dlatego tak się na zapas obwiniam.

Zadzwonił telefon i przerwał moje rozmyślania.

– Gotowa? – zapytał niski głos.

– Właśnie wychodzę.

– Czekam.

Byłam trochę speszona, kiedy zobaczyłam go w holu w otoczeniu dziewcząt z konkursu piękności. Na mój widok podniósł się z kanapy, pokiwał dziewczętom ręką i wyszliśmy na ulicę. Prawie w tym samym momencie chłopak hotelowy podjechał do wejścia samochodem, wysiadł i wręczył kluczyki Danielowi. Przede mną otworzył drzwiczki.

– Zna pani trochę Lazurowe Wybrzeże? – zapytał mój kompan sadowiąc się za kierownicą.

– Zwiedzałam je kiedyś z mężem.

– Jest więc mąż.

– Zdarza się to kobietom w moim wieku. Pan też nie jest kawalerem.

– Nie jestem. I mam syna.

– Wiem. Wszystko o panu można wyczytać w gazetach.

– Nawet więcej niż sam wiem o sobie. Ewo, niech mi pani pomoże w kłopocie. Nie mogę sobie przypomnieć, gdzie się już przedtem spotkaliśmy. Takich oczu nie można pomylić z innymi.

– W „Bojarinie".

– Nie. Niemożliwe, zapamiętałbym pani głos. Nie słyszałem tam pani nigdy.

– Bo nie śpiewałam przy panu. To było, zanim zaczęłam tam pracować, gdy pan obchodził swoje urodziny.

– Ach, wtedy! Wtedy wypiłem tyle szampana, że wszystko mi się zatarło. A jednak zapamiętałem pani oczy.

– O Boże, nic, tylko oczy i oczy, czy nie ma innych, ciekawszych tematów?

– Już się poprawiam.

Jechaliśmy wzdłuż zatoki. Morze miało nieprawdopodobny szmaragdowo-turkusowy kolor. Była upalna, bezwietrzna pogoda.

– Zajrzymy na Saint-Jean-Cap-Ferrat? – zapytał.

– Czemu nie? A co tam jest ciekawego?

– Półwysep z portami jachtów. Obejrzymy je sobie.

Rzeczywiście było na co popatrzeć. Jachty stały jeden przy drugim wypieszczone, czyściutkie, wytworne.

– Widzi pani tego „Oregona"? To kopia mojego „Pirata", a sądziłem, że jest niepowtarzalny.

Po pokładzie „Oregona" krzątał się młody człowiek. Daniel zamienił z nim parę słów na temat danych technicznych jachtu. Chłopak zaprosił nas na pokład. Daniel zwiedził łódź i rozchmurzył się, bo podobieństwo okazało się tylko zewnętrzne i jachty pochodziły nawet od różnych szkutników.

Tymczasem ze wszystkich łajb wychyliły się zaciekawione twarze. My oglądaliśmy łodzie, a ciekawscy nas, a ściślej mówiąc – Daniela. Zwłaszcza kobiety przyglądały mu się z upodobaniem.

Zamówiliśmy obiad, ale nie miałam apetytu. Nie oswoiłam się z tym, że powszechnie podziwiany i pomawiany o liczne romanse z gwiazdami filmowymi piosenkarz siedzi tu ze mną, traktując mnie jak księżniczkę. Był uroczym, błyskotliwym człowiekiem. Nawet bez urody i mitu, który go otaczał, wart był zainteresowania. Wypytywał mnie o Polskę i pracę i słuchał z uwagą.

W pewnym momencie, kiedy pochłonięci byliśmy rozmową, błysnął flesz aparatu fotograficznego. Daniel rzucił do mnie: „O, pardon", wstał i bez słowa wyjął z ręki zdumionego fotoamatora aparat, wykręcił film, oddał mu opróżniony sprzęt i spokojnie wrócił na miejsce.

– Czy nie był pan zbyt surowy dla tego chłopca? – spytałam.

– Kiedy taki nie bywałem, miewałem kłopoty i przykrości przez nieproszonych fotografów. Nie mam innego wyjścia.

Czas mijał nam szybko. Nie wiedzieć kiedy zrobiło się popołudnie i trzeba było prędko wracać do Nicei. Zagraliśmy dwa koncerty w pałacu festiwalowym w Cannes.

Wieczorem postanowiłam, że będę unikać spotkań z Danielem. Zbyt skwapliwie, jak jakaś prowincjonalna gąska poleciałam na pierwsze jego skinienie. Wprawdzie w jego zachowaniu nie znalazłam nic z uwłaczającego zalecania się, ale chyba jednak zbyt łatwo i szybko zaczęłam się z nim bratać.

Nazajutrz zapukał do mnie z rana i tak miło i nieśmiało zaproponował mi nową eskapadę, że znowu dałam się namówić.

Wypady we dwoje do ślicznych okolic Nicei tak bardzo weszły nam w krew, że reszta zespołu z zaciekawieniem zaczęła obserwować rozwój sytuacji. A my byliśmy zajęci tylko sobą. Teraz już nie jeździłam na koncerty autokarem, lecz samochodem Daniela.

Minęły dwa tygodnie. Koncertowaliśmy w Monako, w Mentonie, w Cagnes-sur-Mer i Antibes. Oswoiłam się z orkiestrą i zżyłam z zespołem, gdy nadszedł list z ambasady polskiej w Paryżu, że nie przedłużono ważności mego paszportu.

– Przedłużą pani na miejscu, w ambasadzie – pocieszał mnie urzędnik Pagartu przed wyjazdem. – Na pewno nie będzie z tym kłopotu.

Okazało się, że jest inaczej. Bob chciał zaryzykować, żebym pojechała do Hiszpanii bez wizy, bo pewnie nikt nie będzie tego sprawdzał. Niestety, nie mogłam na to przystać. W liście z ambasady była wyraźna sugestia, że powinnam natychmiast wracać do kraju. Telefonowaliśmy razem z Bobem do Paryża usiłując coś wskórać, ale odpowiedź była jednoznaczna.

Tłumaczyłam mu długo zasady, jakimi kierują się u nas władze wydając paszporty, ale nie byli w stanie tego zrozumieć. Osiągnęłam przynajmniej tyle, że Bob nie wykreślił mnie z rejestrów agencji za zerwany kontrakt. Wieczorem, kiedy pakowałam walizki, pogodziłam się już całkowicie z myślą o nagłym powrocie. A może w tym jest palec Boży? Jeszcze trochę i zupełnie straciłabym głowę dla Daniela. Już i tak za dużo czasu spędzamy razem. Zobaczę Joasię i... Pawła. Nie ma co. Czas najwyższy wracać do domu.

Zupełnie już uspokojona zasypiałam, kiedy zadzwonił telefon.

– Co się stało? – spytałam po polsku sennym głosem.

– *Pardon* – usłyszałam zdumiony głos Daniela.

– Ach, to ty – przeszłam na francuski. – Nie możesz spać?

– Zgadłaś! I nie mów mi, że ty możesz.

– Właśnie zasypiałam...

– Przepraszam... a zresztą nie przepraszam.

Milczę. Cisza. Czeka, że go zaproszę. Co mam robić?

– Śpij, Danielu. To miłe z twojej strony, ale jakoś się pozbierałam. Przecież jutro wracam do domu.

– A ja?

– Ty? Ty jesteś w domu, jesteś u siebie.

– Ewo, proszę cię, nie możemy się tak rozstać. Tak nagle… mam ci tak wiele do powiedzenia.

– Jutro rano mi opowiesz, obiecałeś przecież, że pojedziesz ze mną na lotnisko.

– Twarda jesteś. Zależy ci tylko na tym, żeby się wyspać. Reszta się nie liczy?

– Jaka reszta? – droczyłam się jeszcze trochę, ale wiedziałam, że też nie mam już ochoty na spanie.

– Dobrze – powiedziałam. – Jak chcesz, to przyjdź. Pogadamy, tylko zostaw mi trochę czasu. Muszę się ogarnąć, zasypiałam.

Po kwadransie zapukał cichutko. Razem z nim wszedł kelner z tacą, na której były dwie filiżanki kawy. Mimo późnej pory miał na sobie ten sam garnitur, w którym był na kolacji.

– Wychodziłeś gdzieś? – spytałam. – Wyglądasz, jakbyś szedł na przyjęcie.

– Jeździłem samochodem po okolicy. Będzie mi ciebie brakowało, *chérie**.

---

* kochanie

Milczałam.

– Nie zdawałem sobie sprawy, jak wielkie zrobiłaś na mnie wrażenie. Nie mogę się pogodzić z tym, że wyjeżdżasz tak nagle, zanim…

– Nie kończ! Albo mów. Zanim co?

Milczał speszony.

– To ja dokończę: zanim nie upewniłeś się, że oszalałam na twoim punkcie, co?

– Miałem nadzieję, że troszeczkę tak jest, myliłem się?

Powiedział to tak cicho i skromnie, że omal go nie przytuliłam.

– Nie dałaś mi dokończyć, chciałem powiedzieć: zanim się skończy trasa.

– To mi utarłeś nosa! – roześmiałam się.

– Za to ty jesteś dla mnie jak miód. Musisz być taką osą? Koniecznie chcesz mi złamać serce?

– Słowa, słowa, „parole, parole, parole"! – zaśpiewałam.

– Kpij sobie, kpij…

– Biedactwo! Pół Francji się za nim ugania, nie wyłączając dwóch tuzinów królowych piękności. Do tego żona i jeszcze ja, nie artystka, a szarlatanka?

– Przestań! Szkoda czasu na gierki. Chyba że nie chcesz mnie traktować poważnie?

– Och, Danielu! Nie błaznuj. Wiesz, jak cię lubię, ale przecież...

– Ewa – szepnął i już był przy mnie.

Poczułam jego oddech na twarzy. Ładnie pachniał. Ogarnęło mnie wzruszenie. Ale już w następnej chwili rozwiało się jak dym. Nagle ujrzałam oczami wyobraźni w takim uścisku wszystkie moje poprzedniczki. Wielkie *vedetty*, gwiazdy ekranu, symbole seksu. Kogo on nie uwiódł? Przecież czytam gazety. Jeśli bodaj ćwierć rewelacji jest prawdziwa, to i tak dużo. Za dużo... I teraz ja... Kto by pomyślał? No, no, no...!

Gładzi mnie delikatnie po drżących plecach.

– Płaczesz Ewo? – mówi szeptem i odsuwa się, żeby mi zajrzeć w oczy. Kiedy dostrzega, że trzęsę się ze śmiechu, ręce mu opadają.

– No wiesz! Co cię tak ubawiło?

– Drobiazg. Lista twoich ofiar, do której dołączyłam. Mam więc zaszczytne, ale które miejsce?

– Fee! – krzywi się z niesmakiem – wierzysz brukowcom... Myślałem, że umiesz być ponad to.

Jest speszony. Ja też. Szkoda mi go.

– Nie gniewaj się, Danielu. Wiesz, że cię lubię. Zależy mi na twojej przyjaźni.

– Mnie też. Nie wiesz nawet, jak bardzo. I wierzę, że jeszcze się spotkamy. Będę się o to starał moja śliczna wschodnia księżniczko. Szkoda, szkoda, szkoda, że nie podobam ci się trochę bardziej...

Pogłaskał mnie po policzku. Usiadł. Podeszłam do stolika z drugiej strony i usiadłam naprzeciwko. Przynajmniej się na niego napatrzę – pomyślałam.

– Przynajmniej się na ciebie napatrzę – powiedział.

Roześmiałam się.

– Myślimy to samo równocześnie – przyznałam się. – Czy to coś znaczy? Chodźmy na spacer – zaproponowałam. – Mam ochotę, skoro już i tak nie śpię, spędzić tę noc niebanalnie. U nas taka ostatnia noc nazywa się zieloną.

– Ładnie. Chodźmy na plażę.

– Możemy tam powitać wschód słońca.

– Wytrzymasz ze mną tak długo?

– Nie wiem. Zobaczę, może mi się uda.

Było już po północy. Wyszliśmy na plażę trzymając się za ręce. Księżyc wytyczył na wodzie świetlistą drogę do horyzontu. Fale cichutko uderzały o brzeg. Od czasu do czasu dobiegał warkot samochodu przejeżdżającego bulwarem i reflektory omiatały nas ostrym blaskiem. Poza tym było cicho i pusto.

– Piękna, ciepła noc – powiedziałam.

– Tam u was, na północnym wschodzie, takich nocy mieć nie będziesz, jeszcze pożałujesz.

– Tam u nas, na północnym wschodzie, świat jest skuty lodem, za każdym węgłem czyha polarny niedźwiedź. Już do tego przywykłam. Mimo to, pożałuję.

Zdjęłam sandały i zanurzyłam stopy w wodzie. Daniel poszedł za moim przykładem. Znalazł patyk, zarzucił go na ramię i zawiesił na nim nasze buty. Objął mnie ramieniem i ruszyliśmy w stronę Monaco.

– Przed świtem powinniśmy dotrzeć do Włoch – powiedziałam.

– Z powrotem wrócimy pociągiem, ale już nie zdążysz na swój samolot. I będziesz skazana na mnie.

– Okrutny wyrok – roześmiałam się.

Szliśmy długo, potykając się o kamienie, dopóki skały nie zagrodziły nam drogi.

– Nie ma rady, musimy zawrócić do Hiszpanii *via* Cannes, chyba że chcesz ominąć wpław skały.

– Niech już będzie Hiszpania. Chociaż miałam ochotę przepuścić resztki fortuny w kasynie w Monaco.

– Możesz sobie darować. Zarobią na siebie i bez twojej fortuny. Lepiej się pośpiesz, to dostaniesz coś gorącego w naszym domu w Saint Tropez.

– Wyobrażam sobie, jak się twoja żona ucieszy.

Było mi dobrze. Świat był głęboko uśpiony. Nikt się nie gapił na Daniela i nie dociekał, kim jestem.

– Powinieneś żyć tylko nocą. Popatrz, jaka rozkoszna pustka wokół ciebie. Święty spokój – powiedziałam.

– A co właśnie robię? Ale pustka przy tobie? Czemu nie. Nikt mnie nie cenzuruje. Trzeba to wykorzystać – i pocałował mnie w policzek. Przyciągnął mnie bliżej do siebie, aż trudno było iść.

– Opamiętaj się. W ten sposób daleko nie zajdziemy!

Zapragnęłam nagle dotknąć jego oczu. Pogłaskałam go po policzkach – były szorstkie od przedzierającego się przez skórę zarostu. Zamknął oczy, wstrzymał oddech i stał bez ruchu. Dotknęłam jego powiek – gęste rzęsy były sztywne jak szczecina. Wymacałam dołek w brodzie...

– Chcę zapamiętać, jak wyglądasz, na wypadek, gdybym oślepła.

– Zapamiętuj sobie i nie waż się zapomnieć – wyszeptał cicho.

Zrobiło mi się gorąco. Zdjęłam jego rękę z moich pleców i wbiegłam do wody.

– Chyba nie zamierzasz się utopić z zachwytu?

– Chyba nie. Czy nie zdaje ci się, że najpiękniejsze są miłości nie spełnione? Przeżyłeś choć raz taką?

– Chodź tu, Ewo. Nie odchodź za daleko, zabłądzę w ciemności. Cierpię na kurzą ślepotę.

Wsparłam go wielkodusznie ramieniem.

– Słuchaj, pielgrzymko szalona, czy ciebie nigdy nie zabolą nogi? Może przysiądziemy na chwilę?

Niebo pobladło. Noc miała się ku końcowi. Była już zmęczona i jej zmęczenie i bladość udzieliły się światu. Morze straciło intensywną barwę czerni i szarzało jak okiem sięgnąć. Zaczęły się budzić ptaki, głosy ich rozbrzmiewały coraz śmielej. Nagle przypłynęła do nas fala chłodnego powietrza. Zadrżałam. Daniel zdjął bez słowa marynarkę i zarzucił mi ją na ramiona.

– A ty? – spytałam. – Zmarzniesz.

– I o to chodzi. Dostanę zapalenia płuc i tylko patrzeć, jak będziesz musiała wracać na pogrzeb. Niewątpliwie umrzesz z rozpaczy i odejdziemy razem w wieczność.

– Nie poświęcaj się dla świata, poradzi sobie sam.

Wywinęłam się z jego objęć i pobiegłam przed siebie. Cieszyłam się, że tak cudownie i zwariowanie spędzam moją ostatnią noc w Nicei.

Ale cieszyłam się także tym, że wracam do domu. Biegłam zakosami to po wodzie, to po piasku. Zamoczyłam dół sukienki.

– Tylko nie utop mojej marynarki – wołał biegnąc za mną.

Odeszliśmy daleko. Zmęczenie po nieprzespanej nocy przytępiło mój dowcip. Daniel też nie był rozmowny. Przedstawialiśmy sobą żałosny widok. Ja w zamoczonej sukni, on z podwiniętymi mokrymi nogawkami spodni przedefilowaliśmy przed zdumionym recepcjonistą. Daniel poprosił, żeby podano nam śniadanie w moim pokoju.

– Nie zamierzasz dziś wcale spać?

– Pomogę ci spakować manatki i odwiozę na lotnisko, żeby mieć pewność, że nie będziesz dłużej mnie dręczyć.

– Aż tak mnie nie znosisz?

– Aż tak.

Uśmiechnął się, wziął mnie za rękę i poszliśmy na górę.

„Polska chatka"

Kiedy znalazłam się w otoczeniu moich bliskich, niepokojący urok Daniela stracił nade mną panowanie. Po prostu przestał mi się wydawać kimś prawdziwym, był raczej odrealnioną postacią ze snu.

Zaczęłam mieć dużo kłopotów. Przede wszystkim z Pawłem. Z trudem odnajdowaliśmy wspólny język. Nie było między nami kłótni ani porozumienia. Mąż przebywał dużo poza domem, a gdy już wracał, zamykał się u siebie i rozmowy nasze ograniczały się do zdawkowych informacji.

Całe szczęście, że miałam dużo pracy. Zorganizowałam zespół, który jeździł z programem po kraju. Nie wracałam na razie do teatru, bo mimo niedotrzymanego kontraktu Bob o mnie nie zapominał i przysyłał interesujące propozycje.

Wyjechałam na koncerty sponsorowane przez radio „La Rochelle". Nagrano mi kilka piosenek i przyjaciele zadbali o to, żeby były od czasu do czasu emitowane.

Trzytygodniowy kontrakt skończył się szybko i pojechałam jeszcze na parę dni do Geneviève, do Paryża. Przyjechała tu również Jaga z Łukaszem i ku memu zdumieniu okazało się, że oboje mu ufają.

Jaga wygląda świetnie. Znalazła sobie dobrze płatną pracę. Dotrzymuje towarzystwa starszej, samotnej, lekko sparaliżowanej pani. Spędza u niej pięć dni w tygodniu. To mi wyjaśnia, jak Łukasz dzieli czas między obie panie. Zarzucił rzeźbienie i uprawia teraz swój drugi zawód. Zanim poszedł na Akademię Sztuk Pięknych, był w szkole muzycznej i grywał w zespołach młodzieżowych. Tutaj znalazł pracę w kabarecie u stóp Montmartru. Geneviève, naturalnie, zaciągnęła mnie, by go zobaczyć.

Okazało się, że właścicielką jest znana mi Polka. Była do niedawna kelnerką w klubie jazzowym w dzielnicy łacińskiej. Poznała tam bardzo miłego Fina, pisarza. Zakochali się w sobie, on osiadł w Paryżu. Pobrali się i kupił jej lokal, w którym urządziła kabaret.

Kiedy mnie zobaczyła, ucieszyła się:

– Jak świetnie, że panią odnalazłam. Pośpiewa pani u mnie?

– Jestem tu na krótko.

– Do kiedy pani zostaje?

– Tydzień, najwyżej dwa.

– Wobec tego, jeśli nie ma pani nic innego do roboty, angażuję panią na te dwa tygodnie. Płacę chyba lepiej niż w „Bojarinie”, ale musi pani śpiewać non stop całą godzinę.

– Dla jakiej publiczności?

– Różnej. Przychodzi tu wielu turystów. Mam stałą klientelę złożoną z Francuzów, a także tutejszej Polonii. Dla Francuzów najlepsze są romanse, uwielbiają to. A dla naszych rodaków – już pani sama najlepiej wie co. To jak? Zaczynamy?

– Muszę zrobić próbę z Łukaszem.

– Poradzicie sobie z tym doskonale.

W taki oto sposób przepadały moje wolne dni, znowu uwikłałam się w kabaret. Było to kameralne śpiewanie przy fortepianie, ale spodobało mi się. Sama wytwarzałam nastrój i udawało mi się ugłaskać nawet niesforną publiczność. Dlatego zdecydowałam, że kiedyś przyjadę pośpiewać do „Polskiej chatki”, bo tak nazywa się kabaret Izabeli. Kabaret idzie świetnie. Pełno w nim ludzi o każdej porze. Wieczorem ściągają tu malarze z placu du Tertre, wśród nich Polacy. To oni rozsławili to miejsce i nocą wysiaduje tu brać artystyczna.

Tymczasem Izabela zamieściła anons w prasie o moich występach i niespodziewanie zjawił się w kabarecie Daniel. Był bardzo urażony, że nie zawiadomiłam go o przyjeździe. W oczach bywalców kabaretu jego wizyty dodały mi splendoru. Od tego czasu niemal przestałam sypiać. Daniel obwoził mnie po Paryżu, przedstawiał przyjaciołom, włóczyliśmy się wszędzie razem. Był cudownym kompanem, póki nie zaczynał przechodzić na nutę liryczną. Ja, dziwna sprawa, byłam znacznie odporniejsza na jego urok niż dawniej i tym łatwiej było mi ustawić wszystko na żartobliwie przyjacielskiej stopie. To go nie zniechęcało. Kiedy wywijałam się z jego nazbyt czułych ramion, mówił grzecznie „przepraszam" i nadal był cudownym kumplem. Za to ceniłam go najwięcej. Niemniej jednak intrygowało mnie, że znajduje dla mnie tyle czasu. Kiedy zapytałam o jego żonę, posmutniał i powiedział:

– Jest awaria. Nie chcę teraz zawracać ci tym głowy, ale będę cię prosił, żebyś przed wyjazdem wysłuchała mnie cierpliwie.

Nie doszło do tej rozmowy. Nazajutrz Daniel zadzwonił, że ma kłopoty rodzinne, że żałuje, przeprasza, ale jest zmuszony natychmiast wyjechać. Było mi przykro, ale trudno.

Łukasz musiał wyjechać i zastąpił go Jacques – pianista francuski. Na dwa dni przed moim wyjazdem do „Maisonette polonaise"* zaczęła przychodzić Clotilde. Była piosenkarką i żoną Jacquesa. Siadywała w kąciku przy pianinie i przysłuchiwała się moim popisom. Miałam wrażenie, że chłonie każdą nutę, każdy mój gest. Clotilde zabierała się ostro do nauki mego repertuaru, wyczytałam to z jej warg, które podkładały bezbłędnie playback pod moje śpiewanie.

Zaniepokoiło mnie to, bo po mnie miał tu śpiewać Janusz, warszawski piosenkarz. Pojawił się w towarzystwie tancerzy od Béjarta. Przywiózł Izabeli drogie souveniry i był w euforii. Siedział przy stoliku ze swymi znajomymi i rozmawiali wesoło. Zerkał co jakiś czas na właścicielkę. Przyjechali tu prosto z lotniska. Miał ze sobą walizkę. Izabela przywitała go zdawkowo i nie kwapiła się do rozmowy. Koledzy przewieźli go po Paryżu. Był to jego pierwszy wyjazd na Zachód. Zobaczył akurat tyle, żeby wpaść w nieopanowany zachwyt.

– Słuchaj, Ewo – podszedł do mnie, kiedy zrobiłam krótką przerwę w występie. – Poradź mi, kiedy mam porozmawiać z panią Izabelą na temat

---

* Polskiej chatki

próby i w ogóle. Może powinienem jej najpierw wręczyć prezent i ona sama zacznie? Wiesz, zależy mi na czasie, bo jeszcze nie znalazłem mieszkania.

– Z prezentami się nie śpiesz – poradziłam ostrożnie. – Boję się, że zmieniła zdanie na temat twojej pracy. Ale mogę się mylić.

– Jak to? O czym ty mówisz? – przestraszył się.

– Nie wiem. Mam złe przeczucia. To nie wygląda tak wspaniale jak się planowało w Warszawie.

– Nie mogłaś mnie uprzedzić?

– Dopiero wczoraj zaczęłam się domyślać.

– Ona mogłaby tak postąpić?

– A przysłała ci kontrakt? Jeśli tak, możesz być spokojny, nie odważy się.

– Nic mi nie przysłała. Powiedziała, że mam jej słowo.

– To fatalnie. Ale może się mylę. Musisz sam z nią to wyjaśnić.

Ku memu zdziwieniu Izabela nie miała żadnych skrupułów. Oświadczyła, że zmieniła zdanie, bo żona pianisty będzie ją znacznie taniej kosztować. – Co chcecie, to jest interes!

– Rób, jak chcesz – powiedziałam do niej – ale na mnie więcej nie licz. Będę innych ostrzegać przed tobą.

Podała mi chłodno rękę i nie powiedziała ani słowa.

– Macie samochód? – spytałam kolegów Janusza. – Jeśli tak, to bierz swoją walizkę i jedziemy. Spróbuję cię przedstawić szefowej w „Bojarinie".

Nawet jeszcze nie weszliśmy do kabaretu, gdy zobaczyliśmy Madame. Właśnie tam przyjechała. Powiedziałam jej bez wstępów, że przyjechał z Polski dobry śpiewak i szuka pracy.

– Jest w czepku urodzony. Właśnie dziś George pokłócił się z Montim i musi odejść. Pani Ewo, niech pani z nim jedzie do „Szeherezady", zaraz przyjadę go posłuchać.

Pojechaliśmy i postanowiliśmy zjeść tam kolację, żeby dodać animuszu nieprzytomnemu ze zdenerwowania Januszowi. Przyjechała szefowa i problem został rozstrzygnięty. Posłuchała i zaangażowała go. Tak po prostu. Naprawdę musiał urodzić się w czepku!

Wróciłam do hotelu i w przegródce na listy znalazłam kopertę zaadresowaną pismem Daniela.

Ewo, chérie, nie wiesz, jak bardzo zależało mi na rozmowie z Tobą. Jestem niepocieszony. Żywię nadzieję, że się rychło spotkamy i porozmawiamy o wszystkim. Bywaj.

Oddany szczerze Daniel S.

Lista urodzinowa

Premiera mojego nowego programu wypadła w dniu zamachu na Papieża. Siedzieliśmy w hotelowym pokoju przy winie, gdy ktoś nagle włączył radio i mrożąca krew w żyłach wieść przerwała naszą rozmowę. Wytrąciło to nas z równowagi. Straciliśmy entuzjazm do pracy. Liczyliśmy się nawet z możliwością przesunięcia premiery.

Papież na szczęście ocalał z zamachu i powoli wracał do zdrowia. My jeździliśmy po całym kraju. Spektakl podobał się publiczności.

Mimo upalnej pogody zespół zdziesiątkowała epidemia anginy. Ponieważ odwołano trasę, postanowiłam wyjechać nad jeziora. Paweł bierze urlop, wszystko przygotowane już do wyjazdu i nagle angina zwala mnie z nóg. Pech! Pawłowi uciekają wolne dni urlopu, Joasia męczy się w mieście, zamiast hasać sobie na wolności… Toteż zdecydowałam, że pojadą beze mnie, a ja dojadę do nich, gdy tylko minie gorączka, i dałam im swoje błogosławieństwo na drogę.

Zostałam sama z gorączką i anginą. Po kilku dniach gorączka lekko opadła i zaczęłam snuć się po mieszkaniu. Postanowiłam uporządkować biurko Pawła. Znosił całe sterty papierów i nigdy nie miał czasu sprawdzić, które mu są niezbędne. Zaczęłam je układać, kiedy z jakiegoś notatnika wypadła na podłogę zapisana kartka. Podniosłam ją i miałam schować, lecz nazwisko mojej koleżanki napisane ręką Pawła przykuło moją uwagę. Dokładniej przyjrzałam się kartce. Miała na górze zeszłoroczną datę urodzin mego męża, a pod nią napis: „Zestaw urodzinowy".

Przypomniałam sobie, że te urodziny Paweł spędzał w Stoczni Gdańskiej razem ze strajkującymi robotnikami. Dlatego zainteresowała mnie zawarta w „Zestawie urodzinowym" lista nazwisk. Sądziłam, że są na niej ludzie, którzy brali wówczas udział w tym niezwykłym zrywie społecznym. Jakież było moje zdziwienie, gdy zobaczyłam tam jedynie ponumerowane nazwiska i imiona kobiet. Niektóre nie były mi obce. Były tam moje poprzedniczki, o których wiedziałam z opowieści, na dwunastym miejscu Elwira Maciąg, którą porzucił dla mnie, potem ja – zaszczytnie podkreślona. A za mną jeszcze dwadzieścia pięć pań, w tym dwie moje koleżanki z teatru, którym – jak zdołałam zauważyć – mój mąż się podobał. Nie mogłam uwierzyć własnym oczom! Co miały wspólnego te wszystkie osoby ze mną, *nomen omen* – na trzynastej pozycji?

Przypomniała mi się sztuka bulwarowa, którą oglądałam niedawno w Paryżu. Bohaterka trafiając przez pomyłkę do mieszkania młodego człowieka znajduje tam album, w którym skatalogował on wszystkie swoje kobiety. Tak się zaczynała sztuka – intryga, punkt wyjścia do farsy.

Ale ja byłam teraz we własnym domu. Lista, która przypadkiem wpadła w moje ręce, została sporządzona rok temu, kiedy koncertowałam gdzieś poza Warszawą. Gdyby kończyła się na mnie, pewnie uznałabym ją za zabawną i nawet, bo ja wiem, rozbrajająco dziecinną. Długa kolumna nazwisk po mnie nie wywołała jednak mego entuzjazmu. Straciłam ochotę do robienia porządków i do wyjazdu na urlop. Gapiłam się i gapiłam na dziwaczny „Zestaw urodzinowy", tłumacząc go sobie na różne sposoby i nie wiedząc, co począć. Zaczęłam płakać.

Wieczorem odwiedziła mnie Sylwia, przyniosła owoce i popatrzyła na mnie ze zdziwieniem:

– Co ty wyprawiasz? Aż tak się martwisz ich wyjazdem? Przecież Paweł nie jest dzieckiem, poradzi sobie, nie raz zostawał z Joasią.

– W tym właśnie rzecz, że za dobrze sobie radzi beze mnie.

– Nie wiem, o czym mówisz. Bez ciebie wydaje się bardzo zagubiony. Jesteś chora i dlatego tak czarno patrzysz na wszystko, a już te łzy na pewno nie przyczynią się do wyzdrowienia.

Opowiedziałam Sylwii o moim przypadkowym odkryciu.

– Ależ to śmieszne! I takie sztubackie! Chyba nie traktujesz tego serio?

– A jak mam traktować? Co byś zrobiła mając wszystko czarno na białym?

– Nie wiem. Karol też nie jest święty. Mężczyźni nie potrafią być wierni. Trzeba to przyjąć do wiadomości raz na zawsze i odpłacać im tym samym. Taka jest moja filozofia. Odkąd ją przyjęłam, żyję jak w wacie. Wycinam Karolowi raz na jakiś czas „numer" i wracam czysta jak anioł. Nic mi od tego nie ubywa.

– Ja tak nie potrafię.

– Tere-fere! A twoje flirciki za granicą?

– Och! To zupełnie co innego. Po prostu przebywanie w towarzystwie.

– Ale wybranym, nieprzypadkowym. A zresztą skąd wiesz, jakie są relacje Pawła z paniami z listy? Mogą być też niewinne, jak ten cały zestaw. Prawdziwy łajdak nie ma czasu na statystyki. A jeśli nawet, ale są to tylko jakieś przypadkowe skoki w bok, uważasz, że dwadzieścia pięć w ciągu tylu lat to dużo? Nie znasz innych mężczyzn!...

Uspokajała mnie jak mogła, ale ja i tak wiedziałam swoje. Sylwia poszła z nadzieją, że mnie ugłaskała i uspokoiła, a ja dopiero wtedy zaczęłam rozpaczać na dobre.

Do rana byłam już zapuchnięta jak po użądleniach roju pszczół. Miotałam się po łóżku.

Około południa usłyszałam, że ktoś przekręca klucz w zamku. Zerwałam się przestraszona i stanęłam w przedpokoju jak wryta. Paweł wszedł i chwycił mnie w ramiona.

– Ewuniu, ty ciągle gorączkujesz?

Wyrwałam się z jego objęć i spytałam szlochając:

– Po co przyjechałeś?

– Jak to, po co? Po ciebie. Bo pusto nam bez ciebie.

Masz ci los! Zgłupiałam do reszty. Bez słowa podałam mu znalezisko. Miał głupią minę. Zaczerwienił się nawet.

– Och, to? Głupstwo – powiedział machnąwszy ręką. – Kiedyś ci opowiem – i uśmiechnął się nerwowo. Za wszelką cenę chciał ten incydent zbagatelizować.

Milczałam i śledziłam go wzrokiem. Czuł się nieswojo pod moim badawczym spojrzeniem i zaczął się denerwować.

– Po co grzebiesz w moich rzeczach? Miałaś się kurować.

No tak. Znam to dobrze. Atak jest najlepszą formą obrony. Powinnam teraz ruszyć na niego. Ale nie miałam siły. Położyłam się do łóżka i zaczęłam cichutko płakać. Paweł został w przedpokoju. Widziałam w lustrze, jak przygląda się rozmazanym przez moje łzy literom na kartce. Zgniótł ją ze złością i wszedł do łazienki. Pluskał się tam i po pewnym czasie przyszedł do mnie. Powycierał mi łzy swoją chusteczką.

– Mażesz się jak małe dziecko. Taka duża dziewczynka. No, przestań się już dąsać. Pocałuj.

I nadstawił mi policzek. Ani myślałam go całować.

– No dobrze. Dąsaj się, jeśli chcesz. Mówię ci, że to wszystko nie ma znaczenia. Zawsze byłaś najdroższa i najważniejsza.

– To dlaczego?

– Co dlaczego? Och, przestań mi wiercić dziurę w brzuchu!

Wreszcie odszedł od łóżka, zaparzył herbaty i zapytał:

– Gdzie są twoje rzeczy? Rozpakowałaś je?

– Nie.

Torba z moim wakacyjnym majątkiem stała od kilku dni przygotowana.

– To świetnie. Napij się herbaty, weź coś na uspokojenie i jedziemy.

Jakie to wszystko jest dla niego proste. Mężczyźni zadziwiają mnie. Sądzi, iż wystarczy, że mnie pogłaszcze, szepnie czułe słówko i rana w sercu zarośnie w cudowny sposób. Mam spać w samochodzie? Czy ja w ogóle kiedykolwiek potrafię zasnąć?

Zasnęłam jednak. Ukołysał mnie warkot silnika. Paweł co jakiś czas sprawdzał ręką moją gorączkę. Był skupiony i małomówny.

Zamknęłam oczy i udawałam, że śpię, póki nie zasnęłam naprawdę. Kiedy się ocknęłam, byliśmy już za Ostrołęką. Chciałam uwierzyć, że to, co się zdarzyło jest tylko niedobrym snem, ale zadra tkwiła w sercu boleśnie.

Jaki jesteś mój mężu? – pytałam w duchu. Co jest prawdą, co fałszem? Kiedy jesteś sobą? Wyglądasz tak poczciwie.

– Nie śpisz? – zapytał. – Jak gorączka, chyba spada, co? Zaraz dojeżdżamy do brzózek.

Jeżdżąc na jeziora ustaliliśmy miejsce, gdzie zaczynają się piękne tereny. Rosną tam rzędem trzy samotne brzózki. Mamy więc „nasze brzózki", nasze ulubione miejsca na ziemi, nasze dziecko, nasze piękne wspomnienia, naszego psa, nasz dom... i teraz jeszcze nasze niewyjaśnione sprawy. Co ja mam z tym wszystkim począć?

– Chyba musimy sobie coś wyjaśnić? – powiedziałam.

– Co tu wyjaśniać! Machnij na to ręką i już. Nie ma nic do wyjaśniania.

– To twoje zdanie.

– Chcesz to rozdrapywać, zadręczać się. Nie dam się w to wciągnąć.

Westchnęłam. Jechaliśmy długo w milczeniu. Potem Paweł poklepał mnie po policzku i powiedział:

– No, dojeżdżamy. Umawiamy się, że teraz zaczynamy prawdziwy urlop, dobrze? Puszczamy w niepamięć ten głupi incydencik. Nie będziemy więcej o tym mówić.

Smutne dni

Dwunastego grudnia wieczorem zadzwonił Zbyszek. Chciał rozmawiać z Pawłem. Obudziłam go na jego prośbę, ale kiedy podszedł do telefonu, połączenie się przerwało.

– Pewnie znowu nie zapłaciłeś rachunku! – zaatakowałam Pawła. – Muszę wziąć to w swoje ręce. Przez twoje zapominalstwo tyle spraw mi ucieka. Ciągle nam wyłączają telefon – gderałam.

Paweł wyszedł, przyniósł mi opłacony rachunek i położył się bez słowa do łóżka. Jutro o piątej rano musi jechać do Krakowa. Zasnęłam po północy. Nie wiem, jak długo spałam, ale po pewnym czasie obudziłam się pod wrażeniem dziwnego snu.

Spacerowałam z przyjaciółmi po lesie na skraju jaru. W pewnej chwili w pędzie przemknął koło mnie wywrotny wagonik, taki jakich używa się w kopalniach do wywożenia wyrąbanego węgla.

Kiedy wagonik był już na grzbiecie jaru, zobaczyłam, że stoi w nim Paweł.

– Wyskakuj! – krzyknęłam.

Popchnęłam wagonik tak, żeby się przewrócił na bok. Paweł wyskoczył, a w tym samym momencie wagonik runął na dno jaru. Toczył się i toczył z hukiem, i spadał coraz niżej.

– Mój Boże – powiedziałam – nie miałam pojęcia, że ten jar jest taki głęboki. Tam w dole jest pełno spacerujących ludzi. Zginą albo porani ich ten wagonik...

Staliśmy nad jarem w bezgranicznym smutku, słuchając odgłosów toczącego się w dół żelastwa.

Sen się urwał. Pozostała jednak atmosfera przygnębienia, która w nim gościła. Zastanawiałam się, czemu śpię tak niespokojnie.

Przewracam się z boku na bok. Otulam kołdrą, biorę z szafki nocnej termometr. Nie mam temperatury. Po prostu źle śpię. Chyba przeżywam mój wyjazd na koncerty. Bo też jest czym się martwić, nie wiem, jak mama przy tych wszystkich trudnościach sobie poradzi. Na Pawła przecież nie można liczyć. „Solidarność" pochłania go bez reszty.

– Co ci się śniło? – spytała mama.

– Dlaczego pytasz?

– Bo kręciłaś się niespokojnie. Ja też miałam niedobry sen.

Z moją matką jesteśmy tak związane emocjonalnie, że nierzadko w sytuacji zagrożenia śnimy te same rzeczy, te same symbole. Tej nocy też się tak zdarzyło.

Joasia zmagała się z telewizorem. Chciała oglądać „Teleranek". Nie było obrazu.

Włączyłam radio. Usłyszałam głos generała: „Rodacy! Jeszcze Polska nie zginęła, póki my żyjemy!"… i rozległy się dźwięki hymnu narodowego. A potem cisza.

– O Boże! Mamo, chyba coś się stało!

Mama stała przy oknie i wyglądała w napięciu na ulicę. Nie usłyszała, co powiedziałam. Podeszłam do okna i zrozumiałam.

Na zaśnieżonej ulicy było prawie pusto. Ludzie skuleni przemykali jakoś trwożnie pod murem przeciwległej kamienicy. Mały chłopiec z psem szedł w stronę kiosku. Nagle stanął i zawrócił. Ukrył się za kioskiem i wyjrzał w stronę, z której przyszedł. Czterej uzbrojeni żołnierze szli równym, marszowym krokiem w jego kierunku. Kiedy zrównali się z kioskiem, chłopak przemknął po drugiej stronie i ruszył biegiem przed siebie.

Do południa struchlałe ze strachu słuchałyśmy komunikatów i wyglądałyśmy przez okno. W południe naszą ulicą przejechały czołgi. Zupełnie pustą ulicą. Śledziły ich przejazd tylko wystraszone oczy z okien. Bałam się ruszyć z domu, bałam się wypuścić Joasię, zresztą ona właśnie płakała, bo usłyszała komunikat o zamknięciu szkół.

Późnym popołudniem zaczęli przychodzić do nas ludzie. Wszyscy tak samo przerażeni jak my. Jakby nas zdzielono obuchem. A Pawła nie ma.

Nie jedliśmy śniadania, obiadu, tylko Joasię mama nakarmiła. Zbyszek przyszedł z Hanką, żeby zapytać o Pawła. Zmartwił się bardzo, kiedy dowiedział się, że nie wiem o nim nic prócz tego, że miał jechać do Krakowa.

Zbliżała się godzina policyjna i zaczęłam ponaglać Zbyszków do wyjścia. Bałam się, żeby nie nabawili się kłopotów. Na pięć minut przed godziną policyjną wrócił Paweł. Dopiero wtedy zaczęłam płakać.

Był załamany. Wstał o czwartej rano, pojechał samochodem na dworzec. Po drodze widział czołgi, ale nie przywiązywał żadnej wagi do ich widoku. Myślał, że to jakieś nocne ćwiczenia. Szczerze mówiąc, w ogóle nie myślał o tym. Wsiadł do pociągu, przykrył się płaszczem i zasnął. Dopiero w Krakowie dowiedział się, co się stało. Odczytu nie było. Przeżył chwilę grozy, kiedy wylegitymowano go przy kasie dworca, gdy kupował bilet powrotny.

– Wszystko przepadło... – powiedział z przygnębieniem i poszedł spać.

Nie wiem, co ze sobą począć, wszystko nagle straciło sens. Nic dobrego zdarzyć się nie może. Wszyscy snujemy się po domu. Machinalnie przygotowuję posiłki. Zablokowano rachunki bankowe. Z mego konta w Zaiksie mogę po złożeniu podania wziąć tylko dziesięć tysięcy. Dewizy wypłacają w złotówkach lub bonach. Zostało tam niewiele. Paweł nie ma pracy. Zamknięto jego redakcję.

Jak się potoczy nasze życie, kiedy zabrano nam nadzieję?

Robiąc porządki dogrzebałam się do półek, gdzie leżą dziwaczne szatki, w których występowałam w „Bojarinie". Rozmarzyłam się nad nimi. Tak ponuro dobiegł końca mój beztroski los „Szarlatanki". Sama wybrałam. Daniel... poczułam ukłucie w sercu. *Adieu*, Danielu. Ciebie też muszę zapomnieć. I chociaż to trudne do uwierzenia, nie żałuję. Mogłabym być tam teraz, lecz byłabym o coś uboższa. Nie jestem masochistką, ale wierzę, że są sprawy, od których nie należy uciekać.

Ustawiłam sobie krzesło na stole, żeby łatwiej poruszać się w górnych rejonach szaf, ale robiłam to jakoś niezręcznie, bo piramida zawaliła się z hukiem. Spadłam, uderzając boleśnie jednym z kręgów lędźwiowych w rzeźbioną nogę kanapy. Nie mogłam wstać. Chyba stało się coś niedobrego. Przybiegła do mnie wystraszona Joasia, pies zaczął mnie lizać po twarzy, a ja słabłam z bólu. Dopiero po pół godzinie zdołałam jakoś z trudem podnieść się na nogi. Drżałam cała i nie byłam zdolna do niczego.

Paweł wrócił z miasta jeszcze bardziej przygnębiony niż zwykle. Zawiózł mnie do lekarza. Mam wypadnięty dysk, uszkodzony krąg. Muszę leżeć. Wstaję jednak na chwilę, żeby przygotować posiłki. Joasia jest mała. Paweł załamany. Nikt za mnie tego nie zrobi.

Święta były smutne i mroźne. Zaczęłam wychodzić do kliniki na zabiegi i masaże. Strasznie to uciążliwe, ale nie mamy pieniędzy na to, żeby masażysta przychodził do domu. Dwa dni przed sylwestrem Paweł wrócił pijany. Porozrzucał części swojej garderoby i położył się spać. Nigdy mu się nic podobnego nie zdarzyło, więc podeszłam do tego beztrosko.

Zanim zasnął, powiedział mi: – Karol się zabił, wyskoczył z szóstego piętra, bowiem nachodzili go osobnicy z SB i namawiali do współpracy. Musisz pójść do Sylwii.

I po tej strasznej wiadomości Paweł, ku memu osłupieniu, zapadł w głęboki sen...

Nie mogłam uwierzyć w to, co się stało. Stałam jak wryta. Otrząsnęłam się jednak i zaczęłam się ubierać. Sylwii nie zastałam w domu. Sąsiedzi powiedzieli, że zabrała ją rodzina. Potem szybko pozamykali drzwi.

Gdy wróciłam, Paweł chrapał jak nigdy, zupełnie jakby nie miał przyjaciela o imieniu Karol. Nie znosi alkoholu, a jednak się upił. Musiał się jakoś rozładować, pewnie to było już ponad jego siły. Zamknęłam drzwi jego pokoju, żeby spał dalej, i zaczęłam krzątać się po kuchni w takim tempie, na jakie pozwalał mi mój obolały kuper. Na stołku zobaczyłam pozbierane przez Joasię papierki z upuszczonego na podłogę portfela Pawła. Na samym wierzchu leżał odcinek przekazu na sporą sumę pieniędzy wysłanych przez Pawła do Krakowa, do niejakiej Anny Rolickiej. Byłam pewna, że już gdzieś to nazwisko widziałam, a kiedy za chwilę uświadomiłam sobie gdzie, poczułam się tak, jakby ktoś zdzielił mnie pięścią między oczy. Była to jedna z ostatnich kobiet umieszczonych na urodzinowej liście Pawła... Data wysłania pieniędzy – sprzed czterech dni.

Krew odpłynęła mi w pięty. Była to kropla goryczy nie do przełknięcia.

Z jednej strony te wszystkie straszne sprawy: on bez pracy, ja chora, Karol w trupiarni... a z drugiej groteskowy ślad związków z jego niemądrą listą. Jak on u licha ma jeszcze głowę do tego?

Ogarnęła mnie złość. Już nie żal, nie ból, ale złość i gniew. I bezradność. Bo przecież nawet nie mogę tej złości teraz okazać. Bo mimo wszystko jest to bliski mi człowiek, pokonany, udręczony i zrozpaczony i nie będę go z powodu urażania mojej dumy dobijać. Jak ja się mam zachować? Co zrobić?

Jeszcze jedna bezsenna noc. Tyle ich już się nazbierało. Ostatnio nawet biorąc proszki spałam źle, bo trudno było mi znaleźć wygodną pozycję dla obolałych od kręgosłupa nóg. Paweł obudził się skruszony i przyszedł do mnie.

– Przepraszam za wczoraj. Byłaś u Sylwii? Nie mogę uwierzyć, że Karol nie żyje... Boże, co oni z nami porobili?

Zobaczył na moim stoliku swój portfel i kwit przekazu.

– Nigdy nie oduczysz się kontrolowania mnie – powiedział ze złością.

– Masz pecha – powiedziałam obojętnie. – Frycek porwał twój portfel i wszystko z niego powyrzucał. Pamiętam to nazwisko z feralnej listy. Wryło mi się boleśnie w pamięć. To smutne, że ty nigdy, nigdy nie dorośniesz!

– Ewa… ja…

– Nie pora dziś na wyjaśnienia.

– Ależ zapewniam cię, to głupstwo. Ona jest przekonana, że ja jestem majętny. Prosiła o pożyczkę, nieswojo mi było odmówić, zmobilizowałem się i… Podobno jest chora…

– A daj ty mi święty spokój – powiedziałam i zamknęłam się w łazience.

Zaczął się do mnie dobijać.

– Ewa, tylko nie rób głupstw.

– Paweł, daj mi spokój. Nie bój się, nie zabiję się z rozpaczy. Nie mam do tego nastroju. Mam większe problemy.

Przez cały dzień kręcił się przy mnie, ale bał się odezwać. Starałam się zachowywać normalnie. Zresztą nawał ponurych zdarzeń, jakie rozgrywały się wokół, naprawdę odsuwał na dalszy plan mój zawód miłosny.

Na dzień sylwestrowy Sylwia z okazji swoich imienin zapraszała nas do siebie. Mieliśmy wszyscy u nich nocować, żeby nie krępować się godziną policyjną i w spokoju powitać razem Nowy Rok. Nieszczęście, jakie ją dotknęło, zmieniło wszystko. Jaki będzie ten następny rok? Co nam przyniesie? Drugiego stycznia ma być pogrzeb Karola.

Wpadło do nas parę osób po południu, żeby złożyć życzenia. Noc sylwestrową spędzą w swoich domach. Mamy w barku butelkę szampana. Wątpię jednak, żebyśmy chcieli ją otwierać. Snujemy się po kątach zgorzkniali i milczący. Tylko Joasia i Frycek wnoszą trochę ruchu i światła do naszego, niegdyś tak pełnego życia domu. Kiedy zamykam ich śpiących w pokoju, robi się tak smutno, że tylko się powiesić.

Wysprzątałam wszystko, wzięłam książkę, czytam i nic nie rozumiem. Paweł zamknął się u siebie i mocuje się ze stacjami zagłuszającymi „Głos Ameryki".

Przecież tak dalej być nie może! – wszystko buntuje się we mnie. Nie możemy czaić się po kątach osobno w chwilach, kiedy tak bardzo jesteśmy sobie potrzebni. Życie nie składa się tylko z coraz to nowszych zdobyczy. Również z rezygnacji. Trzeba im stawić czoła. Nie mogę zostawiać go samemu sobie z poczuciem winy. Może nie kochamy się już tak, jak dawniej, ale przecież jesteśmy sobie niezbędni. Nie potrafimy żyć bez siebie… Lat nam nie ubywa, zmieniamy się i nasze uczucie też się przeobraża. Ale jest, na Boga, jeszcze jest!

Odkorkowuję butelkę, nalewam do kieliszków musujący złoty płyn. Wystrzał korka wywołuje Pawła z kryjówki. Podaję mu kieliszek z uśmiechem:

– Za lepszy rok, mój mężu..

Chwyta mnie w ramiona.

– Jesteś wspaniałą kobietą, Ewuniu, wspaniałą…

Oboje mamy łzy w oczach.

Trudno w to uwierzyć, ale przyzwyczailiśmy się do stanu wojennego. Nie jesteśmy z nim pogodzeni. Ale potrafimy żyć z tym garbem. To smutne, lecz i optymistyczne. Nie tak łatwo nas złamać.

Sylwester w hotelu „Lutecja"

Minął rok… Nie liczyłam już na żadne wyjazdy zagraniczne, gdy niespodziewanie zostałam zaproszona do udziału w koncercie sylwestrowym nad Sekwaną. Udało mi się zdobyć paszport i wyjechać.

Sylwester w hotelu „Lutecja", jednym z najdroższych w Paryżu, był szumny i elegancki. W wielu salach, na różnych poziomach występowały liczne rzesze importowanych i miejscowych znakomitości. Na pierwszym piętrze Orchestre de Paris, a z nią dawali show Daniel, Nicole Croisille i Serge Lama. Na parterze w sali przyjęć amerykański big-band i czarni swingujący rewelersi, a w salach „Brasserie" obok sali recepcyjnej big-band ze Strasburga i ja, Marie Capola, zespół młodzieżowy oraz *zarzuella* z Madrytu w wykonaniu doborowej szóstki. U nas się nie tańczyło. Była tylko kolacja z szampanem noworocznym dla mieszkańców hotelu. Przy stołach siedziały przeważnie całe rodziny z dziećmi. Musiałam tu być od dziesiątej do północy, ale ponieważ było nas sporo, miałam czas i na to, żeby zobaczyć, co się dzieje gdzie indziej.

Zanim przystąpiliśmy do pracy w niewielkiej sali, podano kolację wszystkim artystom. Przyszłam na nią spóźniona, bo o dziesiątej kończyłam mój występ w hotelu „Nowa Parka", ale Daniel trzymał dla mnie miejsce. Był elegancki i wypachniony. Nie widziałam go wcześniej, bo siedział z rodziną w Saint Tropez.

– Porywam cię na resztę nocy, princesso – powiedział.

– A twoja żona? – spytałam. – Zostawisz ją w taką noc?

– Wybrała sobie na tę noc Nowy Jork z kimś innym.

– Och, przepraszam.

– Nie szkodzi. Pamiętasz, kiedy byłaś tu ostatnio, chciałem ci wszystko opowiedzieć.

– Żadnych smutnych opowieści dziś wieczór, zgoda? A poza tym dziękuję ci Danielu, że podszepnąłeś Bobowi, żeby mnie tu zaangażował.

– Zełgał ci. Sam na to wpadł. Nie lubi uchodzić za dobroczyńcę. A zresztą, czemu dziękujesz, nie jesteś tego warta?

– Szczerze mówiąc, nie wiem, ile jestem warta.
– Ale ja wiem. Pamiętaj, nie próbuj mi się dziś wymknąć.
– Dobrze. Nie będę próbować.
Myślałam o moim zeszłorocznym sylwestrze. O tym, jak piliśmy z Pawłem po ciemku szampana, tuląc się do siebie ze ściśniętymi gardłami. Jak było cicho, skromnie i tragicznie. A tutaj przepych, kawior, suknie z trenami, gronostaje, cekiny i fraki. I ja szarlatanka znad Wisły wtopiona w ten wesoły gwar, nie różniąca się od bogatych, wypielęgnowanych dam, przynajmniej na oko. Też mam na sobie pajety i tren, a obok siebie kompana w najlepszym gatunku. Jestem nawet w euforii, ale myśli mam rozbiegane, co chwilę umykające do Warszawy.

Jesteśmy już po pracy. Daniel stoi przy mnie z kieliszkami szampana. Przed chwilą wybrzmiało dwanaście uderzeń zegara, zamilkły na chwilę orkiestry. Rozległa się kanonada korków od szampana.
– *Bonne année*, księżniczko!
– Dobrego roku królewiczu z bajki. – Wzruszeni, ściskamy się serdecznie.
– Od czego zaczniemy ten nowiutki, 1983 roczek? – pyta Daniel.

– Chyba od telefonów, jak myślisz?

– Dobrze, chodźmy poszukać jakiegoś aparatu, a potem zatańczymy, dobrze?

– No pewnie, że dobrze.

Przepchaliśmy się przez wędrujące tłumy balowiczów, składając im życzenia i zbierając je od nich po drodze. Recepcjonista użyczył nam swojego telefonu. Nikt w tym kraju niczego Danielowi nie odmówi.

– Potrzebujemy jeszcze drugi aparat, bo „La Dame" musi dzwonić do Polski.

– Wobec tego proszę skorzystać z kabiny. Jest tu naprzeciwko. Zajęta? Zadzwonię do centrali telefonicznej, może tam będzie państwu łatwiej uzyskać połączenia.

Wykręcił numer centrali. Powiedział, że Daniel chciałby zadzwonić w parę miejsc. Za chwilę zjawiła się panienka, która poprowadziła nas za sobą do pokoju, gdzie mieściła się centrala telefoniczna.

– Proszę, ten oto aparat jest do państwa dyspozycji.

Wybierałam cierpliwie numer do Polski, podczas gdy Daniel rzucał uroki na wniebowzięte panienki z centrali.

Porozmawiałam z uszczęśliwioną mamą, Tadziem i Joasią, która też jeszcze nie spała. Pawła nie było, poszedł do Zbyszków, którzy urządzali balik w nowym mieszkaniu. Nie podłączono im jeszcze telefonu, nie mogłam więc złożyć życzeń mężowi. Potem Daniel porozmawiał z Saint Tropez i Nowym Jorkiem. Zaczęliśmy razem składać życzenia wspólnym paryskim znajomym.

– *Bonne année*, Geneviève – powiedzieliśmy zgodnym chórem do słuchawki.

– Dziękuję, dziękuję. Mam nadzieję, że będzie dobry. Nie wpadlibyście tu do nas?

– Niestety, jesteśmy zajęci. To jeszcze potrwa – przejął inicjatywę Daniel. – *Ça va*, Geneviève?

– *Ça va*, mam tu u siebie dzieci i całą gromadę ich przyjaciół. Bawcie się dobrze. Tylko nie bałamuć Ewy, pamiętaj.

– A sądzisz, że mogłoby się to udać? Nie kuś mnie, Geneviève.

Wyrwałam słuchawkę.

– Nie martw się o mnie, *chérie*, a jak twoje morale?

– Masz na myśli Łukasza? A kto to taki?

– Miałam na myśli ciebie. Baw się dobrze. *Bonne année*!

Dzwoniliśmy do Marion, Boba, kogo tylko udało nam się złapać, kto tylko zostawił nam wiadomość, gdzie będzie.

Podziękowaliśmy uprzejmie panienkom, Daniel przypieczętował to jeszcze każdej rytualnym czterokrotnym całusem w policzki.

Wyszliśmy z centrali zostawiając jej personel w stanie omdlenia od doznanych wrażeń ofiarowanych przez idola.

Teraz miałam go już tylko dla siebie. Wykwintny prezent noworoczny. Pociągnął mnie za sobą do sali, gdzie grał amerykański big-band i rewelersi czynili nastrój. W przeciwieństwie do nas, zakontraktowani byli na całą noc. Stary jak świat przebój *Only you* płynął w przepięknej harmonii z ust czarnych chłopaków.

– *Only you* – powiedział Daniel i obejmując mnie poprowadził na parkiet. – *Nomen omen*... Nie chcę nic więcej.

Było mi nieprzyzwoicie dobrze w jego ramionach. Tańczył elegancko, tak jak wyglądał.

– Jesteś taka krucha. Boję się mocniej cię przytulić, żeby czegoś nie popsuć. Żebyś nie rozpłynęła się w moich ramionach. Dobrze, że jesteś.

Jak mam się nie rozpłynąć nicponiu jeden? – pomyślałam. Zamknęłam oczy i dałam się prowadzić. Poczułam delikatny dotyk jego ust na moich powiekach.

– Nie budź mnie, okrutniku – powiedziałam. – Chcę zostać w moim śnie.

– To nie jest sen, Ewo.

Przypomniałam sobie słowa Sylwii, kiedy pocieszała mnie tego lata, gdy znalazłam „zestaw urodzinowy" Pawła: „Co jakiś czas wycinam Karolowi numer i wracam niewinna jak anioł". Biedna Sylwia. Odkąd nie ma Karola, jest wierna bez reszty jego pamięci. Ale ja rzeczywiście nie czuję się winna. Chociaż Paweł na pewno nie byłby zachwycony ujrzawszy mnie w tej chwili. Nie wiem, czy z wiekiem robię się mniej moralna, czy mniej małostkowa. Umiałam wybaczyć jemu, muszę i dla siebie znaleźć trochę tolerancji.

– Prosić cię o cokolwiek, to znaczy o to, żebyś na przykład straciła dla mnie głowę, po latach naszej przyjaźni byłoby świętokradztwem, a zatem... – i podniósł do ust moją rękę.

– Więcej. To byłoby kazirodztwem!

– O nie, moja mała. Nigdy nie będzie mnie stać na braterskie uczucia wobec ciebie.

– A zatem?

– Jak chciałabyś spędzić tę noc?

– Chcę być w wielu miejscach Paryża. Oglądać szczęśliwych, opętanych zabawą ludzi. Chcę wiedzieć, że takie rzeczy się na świecie zdarzają.

– Jeszcze jeden taniec i będę twoim cicerone po rejonach zbiorowego szaleństwa.

Ten „jeden" taniec trwał około pół godziny. W milczeniu, przytuleni tak, że słyszeliśmy nawzajem swoje serca, wykonywaliśmy taneczne *pas*.

– Ani się obejrzymy, jak przyjdzie świt – powiedziałam.

– Masz rację. Idziemy. Dokąd najpierw?

– Na plac St. Michel – zarządziłam.

Pojechaliśmy tam i nie było gdzie zostawić wozu. Jechaliśmy noga za nogą w kolumnie samochodów, które przystawały, trąbiły przedzierając się przez plączących się po jezdni pieszych. Musieliśmy otworzyć okna, bo co chwilę ktoś się do nas dobijał, żeby życzyć „bonne année". Czasem byliśmy częstowani łykiem szampana. Nikt chyba nie spał w tym mieście i nikt nie siedział w domu. Po pół godzinie jazdy po St. Michel ruszamy bulwarem wzdłuż Sekwany, w stronę Trocadéro.

– *Bonne année, bonne année.*

Zatrzymują nas przebierańcy, domagają się ode mnie przez okno pocałunków.

– A ja to od macochy? – mówi Daniel. – *Bonne année*, księżniczko – i całuje mnie czule.

Po przejechaniu mostu Iéna udaje się nam zaparkować samochód pod plantami nad Sekwaną.

Wspinamy się po schodach do Palais Chaillot. Po drodze wciąż z kimś się całujemy. I ze sobą. Robię sobie zapasy uścisków Daniela na całe przyszłe życie. Siadamy na murku i patrzymy z góry na place de Varsovie i jego bajeczne fontanny. Daniel obejmuje mnie i całuje od czasu do czasu w policzek, rzucając usprawiedliwiające „bonne année". Nad wieżą Eiffla wybuchają sztuczne ognie, rozświetlając Pola Marsowe.

„A całuj sobie, całuj, zanim zapieje kur i skończą się czary" – myślę.

Gromada dziewczyn oczywiście rozpoznaje Daniela. Muszę interweniować, bo mi go rozerwą na strzępy.

– Panienki. Jestem mistrzynią karate i ochroną idola. Nie chciałabym w tę świętą noc zrobić którejś z was krzywdę.

Ustępują ze śmiechem, prosząc go o pocałunek na odchodne. Ale się biedak napracuje.

Zbiegamy po schodach i wsiadamy do samochodu. Jedziemy dalej, okrężnie, mniejszymi ulicami przedzieramy się na Wagram. Przejazd przez Pola Elizejskie to senne marzenie. Tłumy spacerowiczów na jezdni. Wszyscy nastawieni serdecznie i skłonni do pocałunków.

– Musimy przejść pod Łukiem od Grande

Armée w stronę Pól Elizejskich, żeby mieć szczęście w Nowym Roku – wyrokuję.

– Co to za teoria, pierwszy raz o niej słyszę?

– Bo ty nigdy nie szukałeś szczęścia, ono ugania się za tobą.

Upieram się, żeby dotrzeć jeszcze na Montmartre. Daniel spełnia posłusznie i to moje życzenie. Zupełnie jak złota rybka. Siadamy na szczycie bocznych schodów prowadzących z Marché St. Pierre do Bazyliki Sacré Coeur. Patrzę na rozedrganą łunę wiszącą nad widoczną stąd panoramą Paryża i głośno robię przegląd minionego roku 1982.

„Był zapewne jednym z trudniejszych w dziejach ziemi – recytuję jak z nut. – Wkroczyliśmy w jego dni smutni, w szoku stanu wojennego, z tym nieznośnym garbem, upokorzeni, pokonani. Inni też nie mieli lekko. Argentyńczycy przegrali bitwę o Falklandy-Malwiny z Brytyjczykami. Reagan rozpętał antykomunistyczną krucjatę – szczęść jej Boże! Trwa wojna w Libanie i nad Zatoką Perską. Rosną zapasy nowej broni jądrowej. W Polsce nie spłacone długi, klęski żywiołowe, powodzie i rozruchy uliczne. Breżniew osieroca Związek Radziecki, u nas umiera Gomułka. Papież odwiedza Portugalię, ja nareszcie znów odwiedzam Francję. Reagan spotyka się z Thatcher, Genscher z Helmutem Kohlem, a ja z tobą. Akurat w porę, bo Sejm uchwalił właśnie z dniem dzisiejszym, o *pardon*, już wczorajszym – zawieszenie stanu wojennego! Czy to nie cudowne?"

Daniel gapi się na mnie z otwartymi ze zdumienia ustami.

– I to wszystko masz gdzieś poukładane w tej swojej niewielkiej ślicznej główce? Co z ciebie za kobieta?

– No, wyduś z siebie, że jestem inteligentna. Mój mąż, ilekroć zobaczy zgrabny kuper albo nogi, mówi, że ich właścicielka jest inteligentna.

– Chodź tu, przytul się do mnie i szepnij mężowi coś o moim intelekcie.

– Nie omieszkam, niech no sobie tylko zasłuży.

– Co z ciebie za dziewczyna? Jesteś naprawdę nadzwyczajna. Zadziwiasz mnie co krok.

– Mylisz się. Jestem bardzo zwyczajna. My wszyscy mamy to w genach, że musimy być *au courant** w polityce, historii i tak dalej. Żyjemy na beczce prochu.

– Noce z tobą są cudowne, chociaż obywają się bez grzechu.

* na bieżąco

– To właśnie dlatego, Królewiczu z bajki. Jak widzisz, ćwiczenie się w cnocie upiększa życie.

– Oj, Ewa, Ewa. Zobaczysz, ja cię jeszcze kiedyś zdeprawuję.

– Trzymam cię za słowo. Takie zapewnienia są na starość jak znalazł!

– Zamierzasz mnie zwodzić do starości?

– Uważasz, że to tak długo? Masz już co najmniej po pięć siwych włosów na skroniach.

– No to *bonne année*, daj buzi.

– *Bonne année*!

– Nie spotkałem nigdy dotąd kogoś takiego jak ty. Napawasz mnie otuchą. Bez tej całej gonitwy za sławą, pieniędzmi i w ogóle.

– Nie sądzę, że gdybym była na twoim miejscu, załamałabym się, nie sądzę.

– Co ty wiesz o załamaniach – westchnął tak smutno, że aż przyjrzałam mu się dokładniej. Rzeczywiście twarz jego wyrażała cierpienie.

– Co się stało Danielu? Jeśli dotknęłam bolesnej struny, przepraszam.

– Od dawna czuję potrzebę szczerej rozmowy z tobą. Tyle mam ci do powiedzenia. Czy jutro możemy się spotkać, zabiorę cię gdzieś na obiad, dobrze?

– Dobrze.

– Dobrze, że jesteś, Ewo. Dobrze, że jesteś.

Nastrój, jaki się wytworzył między nami, sprawił, że zaczęłam znowu mieć poczucie winy wobec Pawła. Wiedziałam, że on w czasie mojej nieobecności na pewno nie żałuje sobie mocnych wrażeń, ale ja tak nie chciałam. Daniel jednak pod zewnętrzną wesołością skrywał jakieś zmartwienie, chciał może mojej rady. Nie mogłam zostawić go w takiej chwili. Może nie powinnam tak ciągle się z nim widywać, ale ten jeden, ostatni raz jutro... Potem już zastopuję.

Zamiast spotkania nazajutrz, znów znalazłam kartkę od niego wetkniętą pod drzwi. Pewnie zajrzał do mnie, gdy jeszcze spałam. Znowu miał jakieś ważne sprawy, które kazały mu nagle wyjechać. Pomyślałam, że to może unik. Też na pewno doszedł do wniosku, że za dużo tych spotkań, skoro to i tak do niczego nie prowadzi. W duchu jednak byłam troszeczkę urażona. Bo to nie ja, to on mnie prosił o spotkanie. Trudno – pomyślałam – będę miała na przyszłość nauczkę, żeby nie lecieć na każde skinienie...

Byłam już kompletnie spakowana, pobiegłam jeszcze do miasta załatwić ostatnie sprawunki i pożegnać ukochane miejsca. Wróciłam, żeby odpocząć, bo po południu miałam lecieć.

Zdumiona, zastałam w drzwiach kartkę:

Błagam, niech pani nie wyjeżdża. Za cztery tygodnie organizuję koncert w Konserwatorium Rachmaninowa poświęcony pamięci mojej matki. Proszę panią o udział w tym koncercie, bardzo mi na tym zależy. Czekam do trzynastej u „Fouqueta".

Lena Panfiloff McArtur

Dwa lata temu uczestniczyłam w koncercie autorskim pewnej leciwej damy pochodzenia rosyjskiego. Pamiętam, że poznałam wtedy jej córkę, o której szeptano, że jest milionerką. Była to przystojna młoda kobieta o zimnym, niedobrym spojrzeniu niezwykle pięknych oczu. Poznałam ją podczas kłopotliwej rozmowy z autorką, która nie miała czym zapłacić nam za udział w koncercie. Dokonano na nim nawet nagrań, za co mieliśmy obiecane dodatkowe honorarium, ale za nic nie zapłacono. Byłam pierwszą, która machnęła na to ręką. Pożegnałam się i wyszłam. Domyśliwszy się teraz, że staruszka widać pożegnała się ze światem, pomyślałam, iż dobrze się stało, że nie dostaliśmy tych pieniędzy. Mam wrażenie, że naprawdę nie miała skąd ich wziąć. Bilety nie pokryły kosztów, a córka, na utrzymaniu której była, nie kwapiła się z pomocą w tej sprawie.

Nie mogłam, ma się rozumieć, zostać teraz dłużej, ale wypadało wpaść do „Fouqueta" i podziękować za propozycję.

Lena siedziała na werandzie przy opróżnionej filiżance po kawie, rozglądając się nerwowo. Zmieniła się od czasu, kiedy ją widziałam. Twarz jej zrobiła się trochę nalana, ale oczy stały się jeszcze piękniejsze, bo patrzyły teraz łagodnie i ciepło. Zerwała się na mój widok i uściskała mnie, chociaż znałyśmy się tylko przelotnie.

– Bałam się, że pani nie przyjdzie. Czekam tu już półtorej godziny.

– Dopiero przed paroma minutami wróciłam z miasta i znalazłam pani kartkę.

– Chcę panią prosić, żeby pani u mnie została.

– To niemożliwe. Mam wyznaczony termin powrotu, nie mogę tego zlekceważyć. Miałabym potem kłopoty.

– Ale wróci pani za miesiąc?

– Nie wiem. Naprawdę nie wiem. To chyba będzie niemożliwe. U nas się nie wyjeżdża z dnia na dzień. Zresztą nie wiem, co to za koncert. Przecież może pani skorzystać z tego, że są tu na miejscu inni artyści.

– Chcę, żeby pani zaśpiewała. Matka lubiła słuchać pani nagrania, była z niego zadowolona. Widzi pani, mam wobec niej poczucie winy. Bywałam dla niej za twarda. Teraz nie mogę oczywiście nic naprawić. Dopiero gdy odeszła, uświadomiłam sobie, kim dla mnie była i bardzo odczułam jej utratę. Dlatego wszystko, co mogłabym zrobić, żeby ocalić ją od zapomnienia, nie ma dla mnie ceny. Ja naprawdę bardzo panią proszę...

Wzruszyła mnie. Taka była dumna, taka harda, a teraz oto siedzi przede mną zupełnie odmieniona, złamana bólem.

– Kiedy to się stało? – spytałam.

– Właśnie za miesiąc minie rok. Nie wiem, jak panią prosić. Wie pani, może opowiadano pani o mnie, że to i owo, ale tamta ja to już nie ja. W tym roku straciłam mężczyznę, którego kochałam, i matkę. To wystarczająco dużo, żeby wejrzeć w siebie. Nie wszystko da się ponaprawiać, ale można się starać.

– Ma pani jeszcze syna, poznałam go u pani matki.

– Nicolas. Tak, on jeden trzyma mnie przy życiu.

– Pani Leno, umówimy się tak: pani zrobi wszystko, żeby mi ten przyjazd ułatwić, a ja zrobię wszystko, żeby pani nie zawieść. Oczywiście mogą się pojawić okoliczności od nas obu niezależne, odmowa biura paszportowego, wypadki losowe, ale tego nie zakładajmy z góry.

– Dziękuję pani Ewo. Ze swojej strony nie zaniedbam niczego. Nie pyta pani nawet, ile zapłacę?... Zapłacę za samolot, to zrozumiałe, cztery tysiące za koncert i chcę panią zabrać w podróż po Francji, żeby to i owo pokazać. Nie będzie pani żałować.

– Ile czasu mam sobie na to zarezerwować? – spytałam.

– Sześć, siedem tygodni.

– Aż tak długo?

– Wie pani, ułożyłam cały plan. Chciałabym panią przedstawić różnym ludziom.

– No dobrze. Zobaczę, na ile będę mogła się wyrwać. Nie chcę za dużo bywać poza domem, żeby nie mieć wyrzutów sumienia.

– Ale zobaczy pani, że to będzie pożyteczne.

Zapisałam jej moje dane, adres i wszystko, co potrzebowała do załatwienia formalności.

– A w jaki sposób pani mnie odnalazła?

– Och, to nie było trudne. Zresztą nieważne. Znalazłam i już. Miałam szczęście.

Pożegnałam się z Leną i pobiegłam do agencji na umówioną rozmowę z Bobem. Opowiedziałam mu o spotkaniu z Panfiloff.

– Może by to zrobić przez agencję. Nie wiem, czy powinnaś jej ufać.

– Nie gniewaj się Bob, ale potraktuję ten wyjazd zupełnie prywatnie. Ona dużo ostatnio przeżyła. Chyba potrzeba jej czyjegoś zaufania.

– Jak chcesz, Ewo. Nie widzimy się przecież ostatni raz. Będę myślał o tobie.

– Dziękuję Bob.

Tak się złożyło, że jednak widzieliśmy się z Bobem ostatni raz. Umarł na atak serca, zanim przyjechałam do Leny. Dobry człowiek o szerokich horyzontach.

Nie ma smutniejszej rzeczy od usunięcia się w wieczność ludzi, którym miało się jeszcze dużo do powiedzenia. Bardzo trudno się z tym pogodzić.

Aix-en-Provence, Cannes. Monte Carlo. Dziesiątki nowych znajomości. Lena jest za pan brat z połową eleganckiego świata. Wszyscy jej przyjaciele, podobnie jak ona, mają mnóstwo czasu i pieniędzy.

Szczerze mówiąc, nieustanne przyjęcia i wysiadywanie w restauracjach zaczęły mnie już nużyć. Zadzwoniłam kiedyś do Pawła i wyżaliłam mu się, że mam już po dziurki w nosie przetaczania się od stołu do stołu i degustacji wymyślnych przysmaków.

– Masz rację. Nie ma to, jak przetaczanie się z kolejki do kolejki, żeby zdobyć jakiś ochłap. Wracaj, nie męcz się tam, ja mogę cię zastąpić.

Zrobiło mi się głupio. Rzeczywiście. Tego rodzaju skargi do tych, którzy zmagają się z naszą niełatwą codziennością, to więcej niż nietakt. Po tym telefonie z ogromną skruchą zaczęłam myśleć o powrocie.

Okazało się, że o moim pobycie w Paryżu Lena dowiedziała się od Daniela. Znają się od dawna. Świat jest mały... Daniel przyjechał pewnego dnia i porwał mnie do Nicei. Spędziliśmy tam ze sobą nie parę godzin, a cały dzień i ponad pół nocy. Nie mogliśmy się rozstać. Opowiedział mi o swoich kłopotach. Ma straszne problemy z Jocelyne. Nie dość, że prowadzi ona dość swobodny tryb życia, to na dodatek wpadła w narkomanię. Mimo to Daniel mówił o niej ciepło i z bólem. Robi wszystko, żeby ją wyrwać ze szponów nałogu, ale wydaje się to beznadziejne. Wszystkie jego nagłe wyjazdy zdarzały się z tego powodu. Kilka razy była już bliska śmierci. Dwa razy odbyła kurację w klinice, ale szybko wracała do dawnego towarzystwa i nałogu.

– Nie myśl, że mówię ci to wszystko po to, żebyś użalała się nade mną i była łaskawsza. To, że oszalałem na twoim punkcie, nie ma nic wspólnego z oskarżaniem mojej biednej żony. Jak bym o tobie nie marzył, i tak muszę ją uratować dla naszego syna. Najpierw jeszcze walczyłem o jej uczucie. Potem jednak zrozumiałem, że nie ma znaczenia to, co ona do mnie czuje, bo moim celem jesteś ty.

Byłam zaskoczona jego otwartością. Przypomniałam sobie nasze minione spotkania, przecież zawsze manifestował mi swoje uczucia, tylko ja nie chciałam tego zauważać. Świadomie bagatelizowałam wszystko, co się między nami działo, nie dopuszczałam do siebie myśli o tym. A teraz ten, wydawać by się mogło, wybraniec losu był załamany i głęboko nieszczęśliwy. Nie mogłam i nie chciałam w tej sytuacji odsuwać się od niego, kiedy się do mnie garnął. Zresztą, nie dlatego że on potrzebował, i to właśnie ode mnie wsparcia, ale dlatego że ja bardzo chciałam mu tego wsparcia udzielić. Opowiadaliśmy sobie o każdym dniu od czasu rozstania, tuliliśmy się do siebie, spacerowaliśmy po plaży bezgranicznie smutni i potrzebujący swojej bliskości. Kiedy zapadł zmrok, zapomnieliśmy o innych troskach i ogromnego znaczenia nabrało to, że ledwie się odnaleźliśmy, znowu trzeba będzie się rozstać. Nie było mi w głowie wywijać się z jego ramion, gdy zaczął mnie całować, a jego czułość zamieniła się w żar.

– Co będzie z nami, Ewo?

– Nie wiem. Jestem porażona tym, co sobie nagle uświadomiłam.

– Naprawdę nagle? – zdziwił się. – Przecież nigdy nie miałem wrażenia, że moje towarzystwo cię nuży.

– Nie chciałam dopuścić tej myśli, nawet teraz nie mogę jeszcze w to uwierzyć. Wydaje mi się, że to sen. Ty nie jesteś dla mnie.

– To co mam zrobić, żebyś mi uwierzyła?

– A co zrobisz, jeśli ci uwierzę? To musi zostać w sferze marzeń. Nie ma innego wyjścia. Nasze uczucie, jeśli jest, może nas tylko unieszczęśliwić.

– To nie jest tak, *chérie*. Można przecież walczyć o szczęście.

– Walczyć? Z kim? Z czym? Z moim mężem, który o niczym nie wie, z nałogiem twojej żony? A dzieci?

– To wymaga czasu. Ja nie zrezygnuję z ciebie i ty nie postanawiaj, że to przegrana sprawa. Daj rozstrzygnąć wszystko czasowi.

– Po co myśmy się spotkali, Danielu, po co?

Próba ucieczki

– Jutro wyjeżdżam – oświadczyłam niespodziewanie dla siebie samej.

– Nie, tego mi nie zrobisz – oburzyła się Lena.

Ale ja już zdecydowana byłam wracać wcześniej.

Postanowiłam uciec. Póki nie jest za późno.

– Nie rozumiem cię, Ewo. Tyle jeszcze chciałam ci pokazać! Co cię nagle opętało? Mogłabyś z powodzeniem spędzić tutaj jeszcze dwa tygodnie – mówiła Lena.

– Nie mogę. Muszę wracać. Dręczy mnie jakiś niepokój.

– Przesada. Dręczy cię zupełnie co innego. Przed sobą samą nie uciekniesz.

Pożegnałyśmy się na peronie. Siedząc w wagonie patrzyłam na wszystko, co – jak mi się zdawało – oglądam ostatni raz. Byłam w nastroju katastroficznym. Wybrałam głupi pociąg. Z przesiadką w Marsylii.

W Marsylii powoli zaczęłam szukać peronu, z którego miał odjechać pociąg do Paryża. Miałam do odjazdu jeszcze pół godziny. Postawiłam na chwilę walizkę i zobaczyłam, że jakiś mężczyzna łapie mój bagaż i odchodzi. Dziwnie znajoma sylwetka.

– Daniel! Co ty tu robisz?

– A jak myślisz?

– Kradniesz na dworcach?

– Zgadłaś! Dziękuję ci, że raczyłaś się ze mną pożegnać.

Milczałam.

– Czy to tak ładnie? Nie mogłaś zadzwonić? Muszą mnie inni zawiadamiać, że dezerterujesz?

– A dokąd ty jedziesz? – spytałam.

– Donikąd. Jestem tu, żeby cię zawrócić.

– Ale ja muszę jechać.

– Chcę porozmawiać.

– Pociąg mi ucieknie.

– Ewa – objął mnie – nic nie poradzimy na to, co się dzieje między nami... Rozumiesz?

– Nie rozumiem. A co się dzieje?

– Wrócimy do Cannes czy jedziemy do Paryża? A może jest jeszcze inne wyjście...

– Jakie?

– Że zaraz się nad tym zastanowimy spokojnie.

– Nad czym tu się zastanawiać?

– Myślę, że jest nad czym.

Niósł moją walizkę do parkingu przed dworcem. Nie pytając mnie o zdanie schował ją do bagażnika samochodu. Otworzył drzwi przede mną i poczekał, aż wsiądę. I wsiadłam.

Ostro ruszył z miejsca.

– Kto ci powiedział, jak mnie znaleźć?

– Lena.

– Co ci powiedziała ta zdrajczyni?

– Ewa pojechała pociągiem do Marsylii. Będzie tam o dziesiątej pięćdziesiąt. O jedenastej czterdzieści wsiądzie do TGV jadącego do Paryża. Chyba przyda ci się ta wiadomość.

– I nic więcej?

– To mi wystarczyło. Nie od razu się zdecydowałem. Gnałem potem jak na złamanie karku. Nie wszyscy na autostradzie są wyrozumiali dla idioty pędzącego za pociągiem...

– Tak nam się fajnie kiedyś gadało – westchnęłam.

– Gdzie się podziały tamte rozmowy?

– Rzeczywiście nie jest już tak śmiesznie jak dawniej.

– Gdybyśmy byli tacy jak dawniej, nie musiałabym uciekać.

– Aż tak straciłem w twoich oczach?

– Rzecz w tym, że nic nie musisz robić, żeby wciąż zyskiwać w moich oczach. I to mój cały kłopot.

Kto inny zatrzymałby teraz samochód, wziął mnie w ramiona, a potem zawiózł do siebie. A ja bym pewnie złapała moją walizkę i wyszła trzasnąwszy drzwiami. Dojechaliśmy do jakiegoś parku. Daniel zaparkował samochód, otworzył drzwi z mojej strony i podał mi rękę. Poszłam za nim w zielony gąszcz.

Idąc w milczeniu znaleźliśmy wreszcie ławeczkę oddaloną od innych w bocznej alejce. Usiedliśmy. Daniel jeszcze raz szczegółowo opowiedział mi całą swoją gehennę, kiedy odkrył sprawę narkotyków u Joselyne i człowieka, który ją w to wciągnął. Już miałam na końcu języka opowieść o „zestawie urodzinowym" Pawła, ale w ostatnim momencie wycofałam się z tego. Byłoby to stawianie znaku równości między jego o wiele większą tragedią a moim przypadkiem, wprawdzie bolesnym, ale nie mającym aż takich konsekwencji.

Daniel wstał, otoczył mnie ramieniem i poszliśmy do samochodu.

– Co teraz zrobimy?

– Odwiozę cię do Paryża, choć wolałbym do siebie. Ale i tak byś mi uciekła. Poczekam, aż nie będzie ci się śpieszyło. Bo i tak jeszcze tu wrócisz. Prawda?

Zwiedziłam jednak wreszcie Marsylię i szczegóły tego zwiedzania zapadły mi w pamięć na zawsze. Przed Muzeum Sztuk Pięknych Danielowi wpadł w oko jakiś paproch. Wyjmowałam mu go moją chusteczką, a kiedy poczuł ulgę, wziął mnie w ramiona i podziękował za udzielenie pomocy. Było mi tak dobrze, że pomyślałam: „szkoda, że drugie oko ma zdrowe"...

W Muzeum Archeologicznym na zamku Borelly przegapiłam jeden stopień na schodach i gdyby mnie Daniel nie złapał w ramiona, zleciałabym na łeb, na szyję.

W katedrze La Major modliłam się, żeby to, co czuję, nie zamieniło się po powrocie w cierpienie.

W romańsko-gotyckim kościele St. Victor przytuleni słuchaliśmy koncertu muzyki organowej. Była tam też bazylika podziemna, którą zwiedzaliśmy trzymając się za ręce.

W nowoczesnej zabudowie mieszkalnej Perreta i Le Corbusiera „Unité d'habitation" uderzyłam się mocno w kolano o kamienny słupek. Daniel rozcierał mi je i całował, a ja głaskałam go po włosach.

W starym porcie między fortami z siedemnastego wieku a wieżą z wieku piętnastego przypomnieliśmy sobie, że nic nie jedliśmy od rana i kupiliśmy hot-dogi.

Wracając wynajętą motorówką z wysepki If, gdzie obejrzeliśmy zamek znany z powieści *Hrabia Monte Christo* Dumasa-ojca, doszliśmy do wniosku, że jest już późno i nie ma sensu o tej porze wyruszać do Paryża.

Cieszyłam się, że spędzę z nim jeszcze trochę czasu. I ku memu przerażeniu nigdzie mi się tak znowu nie śpieszyło. Pojechaliśmy do centrum, by wynająć wygodny pokój.

Do świtu nie zmrużyliśmy oka. Uniesienie, szczęście i rozpacz na przemian brały nas w posiadanie.

– Czemu właśnie mnie musiało się coś takiego przytrafić? Czemu akurat ja musiałam spotkać kogoś tak wspaniałego, czułego, zmysłowego i wyjątkowego po to tylko, żeby go utracić? – szeptałam ze łzami w oczach.

– Ewo... Ewo – powtarzał całując moje oczy. Wzruszało mnie, jak ładnie i prawidłowo nauczył się wymawiać po polsku moje imię.

Około południa wyszliśmy zaczerpnąć powietrza i zjeść śniadanie. Gdy oddawaliśmy klucz, recepcjonista zagadnął:

– O której państwo zwolnią pokój?

– Jak myślisz – zwrócił się do mnie Daniel. – Za tydzień, a może nigdy?

– Ale ja... przestań się wygłupiać.

– Żadne „ale"! Osoby porwane nie mają prawa głosu. O ich losie decydują porywacze. Porwanie nadal trwa. Jutro pojedziemy do mego paryskiego mieszkania. To postanowione bez odwołania.

Pojechaliśmy do Paryża. Im bliżej wyjazdu, tym ciężej nam było obojgu. Wiedziałam jedno: nic nie mogę na razie postanawiać, nic obiecywać. Muszę na to spojrzeć z dystansu. Daniel też, chociaż uważał, że wie, czego chce. Tyle razy byłam pod jego urokiem i z oddali jakoś to blakło. Tyle że wtedy nic nas nie łączyło, poza oczarowaniem. Wymogłam na nim, żeby dał mi miesiąc czasu do namysłu.

– Ty też teraz myślisz, że to ważne. Jeśli po miesiącu będziesz jeszcze myślał tak samo, zadzwoń. Ja także powiem ci szczerze, co czuję. Ale przez miesiąc milczenie.

– To głupie. Po co wyznaczać sobie takie kary? Tyle lat się znamy. Wracałaś nieraz po paru miesiącach i zawsze, jeśli tylko mogłem, starałem się być blisko. A teraz, kiedy stałaś mi się jeszcze droższa, mam milczeć? To bez sensu.

– Pozwólmy czasowi pokazać, ile jest warte nasze uczucie.

– Zrobię wszystko, co zechcesz. Będę czekał. Ale miesiąc to wieczność.

Najdłuższy miesiąc

Kiedy wróciłam do domu, Paweł był na jakimś zjeździe w Gdańsku. Odetchnęłam, że tak się złożyło. Bałam się spojrzeć mu w oczy. Z jednej strony tęsknota, a z drugiej ciążące poczucie winy nie dawały mi spokoju. Toteż ze zdwojoną energią zabrałam się do działania. Paweł od dawna narzekał, że ma za mało miejsca do pracy. W tym celu postanowiłam zlikwidować naszą małżeńską sypialnię.

– Co cię napadło z tym przemeblowaniem? Czy to są w ogóle czasy na robienie takich inwestycji? – irytował się Paweł.

Nie odpoczywałam ani chwili. Wstawałam, zanim on zdołał się obudzić, żeby broń Boże nie zastał mnie w łóżku, wychodziłam z Fryckiem i na zakupy. O siódmej rano były już w domu świeże bułeczki, a kiedy Paweł otwierał oko, ja miałam wszystko z grubsza przygotowane do obiadu.

Poza pracami domowymi zachłannie rzuciłam się w działania sceniczne. Prawie codziennie dawałam jakiś koncert. Podawałam obiad, w biegu myłam naczynia i prosto od tych zajęć, jeszcze zaczerwieniona od stania przy kuchni, wsiadałam do samochodu, na miejcu robiłam pośpieszny makijaż i wchodziłam na scenę.

Mój kochający mąż nie zauważył, że pracuję ponad siły. Głowę miał zajętą zupełnie czymś innym. Czym? Nie wiem. Ostatnio jakoś rzadko ze sobą rozmawialiśmy. Czasem jechaliśmy samochodem w milczeniu, każde zajęte swoimi myślami. Nie wracał do domu prosto z redakcji. Nie pytałam, dlaczego wychodził gdzieś wieczorami. Myślałam, że miesiąc „ciszy" będzie dla mnie nie do wytrzymania, a tymczasem nie zauważyłam, kiedy minął. Minutę przed północą, przed jego upływem, odezwał się telefon.

– Kto tam, do licha, o tej porze – zaczął gderać Paweł. – Nie podchodź, pewnie jakaś pomyłka – dodał, kiedy zobaczył, że podnoszę słuchawkę.

– Halo, kto mówi? – spytałam.

– Godzina „zero". Przerywam morderczą ciszę – powiedział Daniel. Serce skoczyło mi do gardła.

– Chcesz ze mną rozmawiać?

– Tak. Poczekaj, przełączę telefon do innego pokoju – powiedziałam ochryple, z gardłem suchym jak pieprz.

– Przepraszam za późną porę. Nie chciałem, żebyś bodaj minutkę myślała, że coś się zmieniło. Jestem zupełnie pokonany... powiedz coś Ewo, bo może ja się niepotrzebnie wygłupiam?

– Starałam się z całych sił zapomnieć.

– Udało ci się?

– Jeszcze nie.

– Jeszcze nie? To cudownie. Bo może tego w ogóle nie da się zrobić? Oszaleję, jeśli cię wkrótce nie zobaczę.

– Nie zobaczysz mnie wkrótce... Powiedz, co u ciebie?

– Umieściłem Jocelyne w zakładzie. Muszę skończyć utwory na nową płytę. Jadę na tournée do Kanady. Kiedy tu będziesz? Nie chcę, żebyśmy się minęli.

– Nie wiem. Mam dużo pracy. Nie wiem czy w ogóle powinnam tam wracać.

– Ewa, ja musze cię zobaczyć, muszę z tobą porozmawiać, mam ci tyle do powiedzenia.

– To nie jest proste. Ja nie mogę tak żyć. Muszę się na coś zdecydować.

– Ja już się zdecydowałem. Chciałbym cię zdobyć tylko dla siebie.

– Przestań Danielu. Nie utrudniaj mi.

– Czego mam ci nie utrudniać?

Paweł wstał i zaczął przysłuchiwać się rozmowie.

– Z kim ty rozmawiasz – szepnął – o tej porze?

– Z Francją – powiedziałam.

– *Pardon*? – spytał Daniel.

– Ściskam cię, musimy skończyć rozmowę – i odłożyłam słuchawkę.

– Z Francją? – zdziwił się Paweł. – A kto stamtąd tak w nocy dzwoni?

– Muzyk z kabaretu. Wiesz, że to nocne ptaszki.

– Czego chce, na co się musisz zdecydować?

– Chcą, żebym przyjechała. Powiedziałam, że nie mogę tak żyć.

– Pewnie – powiedział Paweł. – Przez te nocne kabarety już tutaj też nie śpisz. Chodź tu do mnie.

– Ach, nie. Jestem zmęczona. Kładź się – powiedziałam.

– Dobrze, ale ty też się kładź.

Poszłam do łazienki zabierając ze sobą telefon. Miałam przeczucie, że jeszcze zadzwoni. Nie omyliłam się.

– Czemu odłożyłaś słuchawkę?

– Nie mogłam rozmawiać.

– Kocham cię bardzo, bardzo cię kocham. Kocham i bardzo mi ciebie brakuje…

– Przestań.

– Nie przestanę. Chcę, żebyś o tym wiedziała. Nie zapominaj o mnie, Ewo. Napiszę do ciebie. *Je t'aime. Je t'aime, je t'aime*! – odłożył słuchawkę.

„Ja też, niestety" – powiedziałam w przestrzeń.

Cały mój pozorny, mozolnie zbudowany spokój runął. Odkręciłam wodę i wzięłam prysznic, zmywając łzy płynące po policzkach. Potem cichutko, na palcach poszłam do swego pokoju. Przepadła ostatnia iskierka nadziei, że jakoś się z tego otrząsnę. Szczerze mówiąc, nie wierzyłam, że Daniel zadzwoni. Nie ustaliliśmy, które z nas odezwie się pierwsze. Ale postanowiłam w duchu, że jeśli on się nie odezwie, będę milczała. To było bardzo w jego stylu – zadzwonić o godzinie „zero", żeby uprzedzić moje życzenie, moje obawy, rozwiać wszelkie wątpliwości.

I co ja mam teraz zrobić z tym niepotrzebnym, nierealnym uczuciem?

Przecież tak niedawno cierpiałam z powodu niewierności Pawła. Teraz też mu nie wierzę, tyle jest powodów. Ale nic mnie to nie obchodzi… To straszne. Nic a nic mnie to nie obchodzi. Ogarnęła mnie nagle złość na męża. Czemu tą swoją idiotyczną listą i jej kontynuacją otworzył mi furtkę nieufności? Muszę coś zrobić. Jakoś temu zaradzić. Nie mogę, nie chcę żyć w kłamstwie...

Wizyta

Wybierałam się właśnie na występ w „Podwieczorku przy mikrofonie", kiedy zadzwonił telefon.

– Ewa? Czy zechciałabyś się ze mną zobaczyć? Jestem w Warszawie.

– Gdzie jesteś, Danielu?!

– Mówiłem ci: w Warszawie. Mieszkam w hotelu „Victoria".

– Teraz nie mogę, mam występy do dwudziestej pierwszej.

– Wiem. Będę czekał po koncercie.

– Dobrze. Zapisz sobie adres.

– Wiem, gdzie to jest. – I odłożył słuchawkę.

Stałam ogłupiała i nie mogłam pozbierać myśli. A jeśli to był żart, jeśli dzwonił z Paryża? Tylko skąd wiedziałby o istnieniu hotelu „Victoria" i… kawiarni „Podwieczorek"?

– Joasiu, nie czekaj dziś na mnie. Chyba wrócę bardzo późno. Jedna z koleżanek w „Podwieczorku” urządza imieniny. Powiedz tacie, że wrócę dopiero… albo nic nie mów. Zadzwonię.

Jak gładko przeszło mi to kłamstwo. Daniel w Warszawie! Nieprawdopodobne! W garderobie jestem milcząca i roztargniona. Nie widzę, co się dzieje wokół mnie. Myślę o naszym spotkaniu. Programy ciągną mi się niemożliwie. W czasie przerwy między koncertami narzucam płaszcz i wybiegam na przechadzkę. Hotel „Victoria” jest tuż-tuż.

Drugi koncert wymaga dużego skupienia. Radio nagrywa program. Przychodzi Jola i mówi:

– Widzieliście tego gościa siedzącego przy stoliku koło drzwi? Jest w kapeluszu i ciemnych okularach. Bardzo podobny do Daniela Sauvala, tego gwiazdora francuskiego.

– To rzeczywiście jakiś pomylony Francuz – mówi kelnerka, która weszła, by pozbierać filiżanki po kawie. – Przychodzi tu już drugi dzień. Tuż po rozpoczęciu programu błaga, żeby mu sprzedać bilet. Zostaje potem na obu przedstawieniach. Jakiś maniak chyba!

Jestem bliska omdlenia. Nadchodzi moja kolej i idę na scenę jak na ścięcie. Staram się nie patrzeć w stronę stolika przy drzwiach. I tak bym go nie dojrzała w ciemności. Ale wiem, że tu jest i to mnie mobilizuje. Wszyscy to zauważają.

– Ale dałaś czadu, Ewka!

Wychodzi z reżyserki inżynier dźwięku:

– Bomba, pani Ewo! Przegram to pani na taśmę.

– Dziękuję.

Starannie zmywam makijaż, odświeżam się i dzwonię do domu.

– Halo, Paweł? Słuchaj, wrócę dzisiaj bardzo późno. Nie denerwujcie się. Niech Joasia na mnie nie czeka. Wiesz, jest tu taka mała uroczystość...

– Dobrze, jak chcesz.

– Co się z tobą dzieje Ewo? Oczy ci błyszczą, masz wypieki, zakochałaś się, czy co? – żartują koledzy.

– Może się zakochałam – odpowiadam. – Bywajcie!

Wychodzę dyskretnie z sali, żeby nie przeszkadzać widzom. Od stolika przy drzwiach podnosi się wysoka postać w wielkim kapeluszu i słonecznych okularach, choć na widowni ciemno jak w piekle. Ogarnia mnie panika. Zamykam za sobą drzwi, jakbym nie widziała, że ktoś za mną wychodzi. Zbiegam szybko po schodach.

– Ewa!

Nie mam wyjścia. Muszę się zatrzymać. Nie mogę wykrztusić słowa. Ale na widok malowniczej postaci, która przystanęła o parę stopni powyżej, moje napięcie rozładowuje się nagle.

– Daniel! Bawisz się w policjantów i złodziei? Za kogo ty jesteś przebrany? Przebrałeś się tak skutecznie – żartuję, żeby pokryć zdenerwowanie – że jedna z moich koleżanek rozpoznała cię po ciemku.

Nie wiem, co robić z rękami, jak stać, gdzie patrzeć, zupełnie jak przed komisją egzaminacyjną w szkole teatralnej przed laty. On chyba podobnie. Podchodzi do mnie i nieśmiało, jak sztubak, całuje mnie w policzek.

– *Salut, princesso* – mówi ochrypłym głosem.

– *Salut*...

W milczeniu wychodzimy na ulicę.

– Mam tu samochód – mówię.

Bez słowa skręca w kierunku, gdzie zaparkowałam.

– Skąd wiesz, gdzie go zostawiłam?

– A skąd wiedziałem, gdzie cię znaleźć?

– No właśnie. Skąd? – Jestem tak zaskoczona, że nie potrafię pozbierać myśli.

– Pozytywnie?

– To jest szok.

– Pojedziesz do mnie? – pyta.

– Doprawdy, Daniel…

– Wahasz się, mimo że pokonałem taką przestrzeń, żeby..

– Nie waham się. Jedziemy do ciebie.

Pod hotelem nie mogę znaleźć miejsca do zaparkowania samochodu, zostawiam go wreszcie pod gmachem „Zachęty". Czekam w holu, aż Daniel odbierze klucz. Wjeżdżamy w milczeniu na górę. W windzie patrzy na mnie z taką miłością, że nie mogę wytrzymać tego spojrzenia i podchodzę do drzwi, jakby mi było pilno do wyjścia.

W pokoju nie umiem zapanować nad zdenerwowaniem. Upuszczam torbę, Daniel podnosi ją, odbiera ode mnie płaszcz. Zdejmuje swój idiotyczny kapelusz. Staje przede mną w całej swojej krasie, blady ze zdenerwowania.

– Dlaczego przyjechałeś?

– Mówiłem ci: z potrzeby serca. Po co głupio pytasz? Pamiętasz nasz kodeks? Miało nie być niemądrej taktyki.

Czuję, że cały mur mozolnie stawianych sobie zakazów i postanowień wali się w gruzy. Nie potrafię walczyć ze sobą.

– Nie mogłem wytrzymać dłużej.

– Czy mogę usiąść? – pytam. – Przecież nie będziemy stać w przedpokoju.

– Wybacz! Proszę, wejdź, siadaj. Ewo! – przyklęknął biorąc mnie za ręce – chcę cię zabrać ze sobą.

– Gdzie? Po co?

– Po co? Co za głupie pytanie. Przyjechałem sprawdzić osobiście, czy mogę cię stąd wyrwać. W ciągu ostatnich tygodni starałem się jak najwięcej dowiedzieć o Polsce. Zobaczyłem teraz sam i wiem. Gdy odlatywałaś ostatnio, miałaś na Orly otwartą torbę bagażu podręcznego. Wystawały z niej dwie butelki oleju słonecznikowego. Zrobiło mi się niewymownie przykro, kiedy je zobaczyłem. Nie mogłem pogodzić się z tym, że musisz pracować po to, by robić tam takie zakupy...

– Daruj sobie tę litość – powiedziałam ze złością. – Ty też pracujesz na olej i mydło, i szczotkę do zamiatania. Kupiłam olej, bo u was można go było dostać, a u nas akurat nie.

– Ja nie chcę cię urazić. Po prostu jest dla mnie bolesne to, że musisz tu żyć w takich warunkach. Mogłabyś gdzie indziej mieć...

– Co ty masz za pojęcie o tym, jak żyję! – złościłam się.

– Mam już pojęcie. Na lotnisku wynająłem samochód. Od razu, zanim pojechałem do hotelu, odszukałem twoją ulicę i dom.

Zaparkowałem naprzeciwko. Widziałem, jak obładowana zakupami wracasz do domu. Miałem ochotę wyskoczyć i chwycić cię w ramiona, ale przestraszyłem się, że mnie przepędzisz. Czekałem, że może znowu wyjdziesz. Miałem zadzwonić, lecz poczułem tak straszną tremę, że nie odważyłem się. Postanowiłem jeszcze poobserwować, jak żyjesz i czy jest jakaś nadzieja dla mnie. Bo kiedy ujrzałem cię śpieszącą do domu, twojego domu, poczułem się jak intruz, jak idiota, który karmi się iluzjami. Nie mogłem spać wiedząc, że jesteś tak niedaleko, może w objęciach męża... Nawet zaczynałem żałować, że przyjechałem. Całą noc zmagałem się z niewesołymi myślami, a skoro świt znowu przyjechałem pod twój dom. Wyczekiwałem nie spuszczając oczu z bramy.

– A nie prościej byłoby zadzwonić i wywabić mnie?

– Wiem, wiem, że zachowałem się idiotycznie. Ale od kogoś tak opętanego jak ja, nie należy oczekiwać, że potrafi postępować logicznie. Nie wiem, czegoś ty mi zadała...

– A gdybym wyjechała? Mógłbyś mnie przecież nie zastać w Warszawie. Warto było tak ryzykować?

– Warto! Przecież cię zastałem. Tydzień temu, gdy dzwoniłem, wypytałem cię zręcznie o twoje plany. Mówiłaś, że nie ruszasz się z Warszawy.

– Mogłeś mnie jednak uprzedzić.

– Co to ma za znaczenie? Nie rób mi wyrzutów. Widziałem, jak robisz zakupy stojąc godzinami w kolejkach. Widziałem też, jak szłaś z mężem. Mieliście gniewne, obojętne twarze... Ewa, zabiorę cię z tej szarzyzny. Ty nie jesteś tutaj szczęśliwa. Gdybym zobaczył was razem radosnych i szczęśliwych, odleciałbym i nie zawracał ci głowy. Widziałem was trzy razy i zawsze byliście chmurni. Wybacz, że cię śledziłem z ukrycia. Wiem, że to głupie, niskie. Ale chciałem wiedzieć.

– No dobrze, a więc śledziłeś mnie, aż trafiłeś na „Podwieczorek".

– To było całkiem zajmujące. Czatowałem przez cały dzień na ciebie i zaczęło mnie fascynować to, w jaki sposób spędzasz czas. To bieganie od sklepu do sklepu, jakieś poszukiwania, wystawanie w kolejkach... To nieprawdopodobne.

– A ty?

– Co ja? Ja jeździłem samochodem za tobą. Nie wyglądacie z mężem na zakochanych. Ulżyło mi, gdy to zobaczyłem. Poszliście do garażu, widzisz, nawet wiem, gdzie masz garaż! Wsiedliście do samochodu. Pojechałem za wami. Nie otworzył ci drzwi, kiedy wysiadałaś, tylko podał torbę. Jakież było moje zdziwienie, gdy zobaczyłem, że wchodzisz do domu towarowego. Cały dzień nic, tylko sklepy! Tam, na schodach, też była kolejka, czy raczej tłum, ty nie ustawiłaś się na końcu, jak przedtem w innych sklepach, tylko wymijając ludzi weszłaś do sali na drugim piętrze. Przed drzwiami sprzedawano bilety. Domyśliłem się, że to sala widowiskowa i spadł mi kamień z serca. Postanowiłem, że wejdę tam za wszelką cenę. Udało mi się zdobyć bilet. Obejrzałem program raz i drugi. Wczoraj byłaś dobra. Dzisiaj na pierwszym koncercie roztargniona, pochlebiałem sobie, że po moim telefonie, na drugim odzyskałaś formę. Wyglądałaś cudownie. Patrzyłem na ciebie z zachwytem, jak wtedy w Nicei, pierwszy raz...

– Obszerna relacja czy też raport inspektora Daniela – roześmiałam się. – Jesteś szalony! Nigdy nie podejrzewałam cię o takie pomysły.

– Jeszcze nie wiesz, na co mnie stać!

– Jeszcze nie mogę uwierzyć, że to nie sen, że jesteś tu naprawdę.

– Zaraz cię o tym przekonam.

Ledwie otoczył mnie ramieniem, upewniłam

się, że jego bliskość rodzi tylko pragnienie, żeby był jeszcze bliżej.

– Co robiłaś beze mnie?

– Przecież wiesz. Wyśledziłeś wszystko.

– Daj spokój, chyba nie stoisz tylko w kolejkach?

– Och, nie! Zaopatrywałam dom na weekend. Nie martw się, kolejki to nie mój żywioł. Żebyś jednak mógł nasze życie zrozumieć, musiałabym ci zrobić wykład z całej naszej złożonej historii. Zajęłoby to dużo czasu.

– Kiedyś mi wszystko opowiesz.

– Jak długo tu zostaniesz?

– Przyjechałem na tydzień.

– I zmarnowałeś dwa dni?

– Stchórzyłem. Teraz żałuję. Zostało tylko pięć, w ciągu których będziemy się chyba widywać?

– Będziemy stale razem, dopóki nie odjedziesz. Wyjedziemy tylko z Warszawy.

– Dokąd zechcesz. A potem? Mam wyjeżdżać sam?

– O tym, co potem, jeszcze porozmawiamy. Czy mogę stąd zadzwonić?

Zadzwoniłam do matki Jagi i poprosiłam, by udostępniła mi domek w Krzyżach. Powiedziałam, że mamy gości z Francji. Odkąd Jaga wyjechała, często tam pomieszkiwaliśmy.

– Naturalnie, pani Ewo. Przy okazji poproszę o naprawę płotu. Ktoś wyłamał kilka sztachetek. Są zapasowe w drewutni. Narzędzia też.

Odłożyłam słuchawkę i zwróciłam się do Daniela. – Załatwiłam ci zajęcie, ulubieńcu dziewcząt. Będziesz naprawiał płot.

– Jaki płot?

– W ślicznej miejscowości na północ od Warszawy. Dasz sobie radę, czy mam zabrać ze sobą kogoś innego?

– Jeśli chcesz, możemy nawet pracować w kopalni, byle razem.

– Wezmę to pod uwagę. A teraz położysz się grzecznie spać, a ja pójdę do domu. Rano o dziewiątej przyjedziesz po mnie z pełnym zbiornikiem paliwa. Zgoda?

– Zgoda na jutro. Ale dzisiaj nie puszczę cię tak od razu. Jeśli teraz odejdziesz, nie dożyję do rana i zostawię kartkę z informacją, przez kogo umarłem.

– Jeśli zostanę teraz z tobą, nie zdołamy spędzić ze sobą reszty twego pobytu w Polsce. Wybieraj, co wolisz.

– Teraz i potem, i zawsze. A po co ci benzyna?

– Bo nie mam czasu rano stać po nią w kolejce.

– Co za kraj! – westchnął Daniel.

– Sam wybrałeś. Stać cię na to, żeby pojechać do Eldorado. Pobędziemy kilka dni w pięknym zakątku.

– Nie możesz teraz odejść. Jeszcze nie przywitaliśmy się jak trzeba.

– A jak trzeba?

– Chodź tu bliżej, to ci pokażę jak.

Zostałam z nim akurat tyle, żeby upewnić się, że szkoda każdej przeżytej bez niego chwili.

– Ulituj się nade mną, *chéri* – ocknęłam się wreszcie. – Muszę jeszcze załatwić parę spraw, zanim wyjadę... Jak będziesz mi utrudniał, to się rozmyślę.

– Zrobię wszystko, co zechcesz, szantażystko. Mogę cię odprowadzić?

– Tylko na parking. Masz się wyspać na jutro, bo chcę mieć do czynienia z kimś przytomnym, a nie wrakiem.

Pożegnaliśmy się, choć nie było nam łatwo. O trzeciej byłam w domu.

– Jesteś – mruknął Paweł przewracając się na drugi bok – która to godzina?

– Nie wiem. Ileś tam po północy.

– To zamknij moje drzwi, jutro wcześnie wstaję.

Nie mogłam zasnąć. Zupełnie jak tamtej nocy w Cannes, kiedy wróciłam z Nicei do Leny...

Przyjechał tyle kilometrów tylko po to, żeby mnie zobaczyć! I pewnie tak, jak ja, nie może spać…

Wstałam nazajutrz skoro świt i zaczęłam gotowanie na zapas.

– Co ty tam pichcisz od rana? – zainteresował się Paweł.

– Przygotowuję wam coś na kilka dni, bo wczoraj dowiedziałam się, że jadę na koncerty.

– Przecież masz podwieczorki.

– Ktoś mnie zastąpi. To bardzo intratna trasa. Nie mogę z niej zrezygnować.

– A nasz wyjazd nad Zalew?

– Pojedziecie beze mnie.

– To ja też nie pojadę. Mam ważne sprawy w Krakowie.

– To sobie jedź do Krakowa – powiedziałam zgodnie.

Paweł spojrzał na mnie zdziwiony. Ostatnio miał często jakieś tajemnicze ważne sprawy w Krakowie. Nawet bym nie zwróciła uwagi, gdyby przed każdym wyjazdem tak się nie tłumaczył. Kiedy wyszedł, porozmawiałam o moim wyjeździe z Joasią.

– Uważaj, kochanie, na siebie. Poproszę mamę Magdy, żebyś mogła dużo czasu u nich spędzać. Przykro mi, ale muszę wyjechać, chyba nawet nie będę mogła do ciebie zadzwonić. Ciągle będę w drodze. – Serce mi się krajało, że muszę okłamywać własne dziecko.

– Tobie się wydaje, mamo, że ja ciągle jestem malutka. Już cię przerosłam, a ty traktujesz mnie jak oseska. Nie martw się. Poradzę sobie.

Przez okno ujrzałam samochód stojący przy krawężniku. Wyszłam. Daniel patrzył poważnie przez szybę. Nie zwrócił najmniejszej uwagi na dwie dziewczyny stojące na chodniku. Szeptały coś do siebie, przyglądając mu się ciekawie. Przypominał im pewnie sławnego artystę.

Zerwał się, kiedy podeszłam do samochodu. Uścisnął mi oficjalnie rękę. Był zdenerwowany nie mniej niż ja.

– Spałeś dobrze? – spytałam.

– Nie spałem prawie wcale.

– To uciekaj zza kierownicy. Znam lepiej drogę i obyczaje tutejszych kierowców.

Jak zwykle posłusznie spełnił moją wolę. Dopiero kiedy wyjechaliśmy z miasta wyciągnął rękę i położył mi ją na szyi.

– Uspokój się, bo nie mogę prowadzić.

Posłuchał.

– Żałuję, że nie jesteś moim synem. Miałabym wspaniałe rezultaty wychowawcze. Jeszcze nigdy nie spotkałam tak karnego chłopca.

– Żałuję, że nie jesteś moją córką. Wziąłbym cię na kolano i złoił skórę za znęcanie się nad słabszymi od siebie.

Byliśmy weseli i dowcipni jak za dawnych czasów.

– Dokąd mnie wieziesz?

– Do *beau lieu*, ma się rozumieć. Tak jak ty mnie na pierwszej randce we Francji.

– Oficjalny rewanż? Chyba nie będziesz tak sztywna, jak wtedy?

– Jeszcze bardziej.

– W takim razie wysiadam.

– Proszę bardzo, tylko musisz w biegu, bo nie można się tu zatrzymywać.

Przekomarzaliśmy się głupio jeszcze przez jakiś czas, żeby dodać sobie animuszu.

– Jak daleko do tego twojego *beau lieu*, mam nadzieję, że nie spędzimy całego wspólnego czasu w podróży?

– Spod domu do tego miejsca jest równo sto osiemdziesiąt sześć kilometrów. Są tam ogromne lasy i jeziora. Jest także mała chatka w otoczeniu drzew i kwitnących krzewów. Pewnie teraz już opadły z nich liście. Napalimy w kominku i będziemy mogli spokojnie porozmawiać. W promieniu kilometra nie ma żywej duszy.

– Wytrzymasz ze mną na takim pustkowiu? – zapytał radośnie.

– Jeśli nie wytrzymam, ucieknę i zostawię cię wilkom na pożarcie.

Daniel zaczął mi opowiadać swoje dzieje, dzień po dniu, godzina po godzinie o wszystkim, co robił od naszego rozstania. Jest już formalnie rozwiedziony, ale ciągle opiekuje się Jocelyne zmagającą się z heroiną. Opowiadał o tym, jak trudno utrzymać to w tajemnicy przed prasą. O strachu o Christofa, który ma szesnaście lat. O pracy, w której nie ustaje mimo wszystkich kłopotów, bo jego impresario Jimmy dba, by nie wypadł z rynku.

– Wcale się temu nie dziwię. On przecież z ciebie żyje.

– Jimmy jest moim jedynym szczerym przyjacielem. Twierdzi, że obsesyjna miłość do ciebie mnie zniszczy.

– On wie o nas?

– Nie ma nic przeciwko tobie. Tylko uważa, że jeśli będziesz mnie długo trzymać w niepewności, to dokonasz tego, czego nie dokończyła Jocelyne. Że zniszczycie mnie obie.

– Nie chcę ci zrobić nic złego. Może lepiej wracajmy do Warszawy. Nie chcę być niczyim demonem.

Zatrzymałam samochód.

– Ewa, to jest moje życie i tylko ja mogę o nim decydować. Po co ci to powiedziałem?

– Jakkolwiek nie postąpię, zawsze kogoś skrzywdzę! Ja tego nie wytrzymam. Po co się w ogóle spotkaliśmy?

Krzyże oczarowały Daniela. Otworzyłam drzwi i okna, żeby wywietrzyć dom, i poleciłam Danielowi, by napalił w kominku.

– Chyba to potrafisz?

– Potrafię robić wiele rzeczy. Na przykład – gotować.

– Będziesz się mógł tym popisać. A teraz poczekaj trochę.

Wzięłam koszyk i poszłam do zaprzyjaźnionych wieśniaczek po coś do jedzenia. Zdobyłam jajka, trochę świeżo złowionych ryb, chleb i pomidory. Kiedy wróciłam, ogień buzował wesoło w kominku, a Daniel wbijał młotkiem brakujące sztachety płotu.

– Jak znalazłeś narzędzia?

– Od czego wyobraźnia? Wolałem mieć wszystkie prace za sobą, żebyś wreszcie pozwoliła mi być bliżej ciebie. Co jeszcze mam zrobić, mów od razu: przekopać klomby, może przesadzić drzewa albo wyrąbać pół lasu?

– Zjedzmy i zaprowadzę cię nad jezioro.

Weszłam do kuchni, ale Daniel podszedł do mnie, wyjął mi z ręki patelnię. Potem przekręcił klucz w drzwiach i wziął mnie na ręce.

– Nie przyjechałem tu jeść. Nie widziałem tego jeziora całe życie i jakoś wytrzymałem. Nie widziałem ciebie dwa i pół miesiąca i zacząłem tracić rozum. Pozwól więc nacieszyć się tobą. Chcę uwierzyć wreszcie, że jesteś ze mną.

Po kilku godzinach jednak poczuliśmy głód. Okazało się, że mój luby całkiem nieźle radzi sobie w kuchni. Leżałam na leżaku, patrząc na zachód słońca, a on krzątał się wokół mnie, odgadywał i spełniał moje pragnienia.

Pokazałam mu wszystkie moje ukochane zakątki leśne. Poszliśmy drogą do Prania i wróciliśmy przez ogromną łąkę. Opowiadałam mu, gdzie latem rosną maliny, poziomki i jeżyny. Któregoś dnia poszliśmy przez Krzyżacki Róg na wielką bindugę, pustą teraz po sezonie i jeszcze większą bez kolorowych plam namiotów. Szliśmy górą, patrząc na piękną panoramę jeziora, na zatokę Zamordeje i odnogę jeziora w kierunku Karwicy. Woda była szarobłękitna, przeciwległy brzeg za lekką mgiełką, zieleń lasu popstrzona żółcią i czerwienią. W sitowiu tętniło życie. Ptaki rozmawiały ze sobą hałaśliwie.

– Dziękuję, że mnie tu przywiozłaś – powiedział.

Opowiedzieliśmy sobie wszystko. Nie ukrywałam nawet tego, jak walczę z moim uczuciem do niego.

– Walcz, walcz – mówił. – Im bardziej będziesz go sobie zabraniać, tym bardziej się w nim pogrążysz. Daj sobie spokój z tą walką. To do niczego nie prowadzi. Nie zatruwaj sobie każdej chwili szczęścia. Zrozum, że nie ma nikogo, kto może cię kochać bardziej niż ja.

– Na pewno nie ma. Bo ty jesteś przecież królewiczem z bajki. W życiu taki ktoś się nie zdarza.

Jednego wieczoru dał mi do posłuchania materiał na swoją nową płytę. Była rewelacyjna. Chyba najlepsza z dotychczasowych.

– Masz wielki talent, kochanie. Miałam dreszcze, kiedy słuchałam.

– A to są piosenki dla nas – powiedział podając mi plik nut. – Niektóre dla ciebie. Weź to, napisz sobie polskie teksty lub przetłumacz moje i śpiewaj. Jak przyjedziesz, nagramy wspólną płytę.

Byłam wzruszona.

Za dziesięć dni Daniel będzie bardzo daleko. Będzie koncertował w Kanadzie: w Sherbrook, Montrealu i Toronto. Uparł się, żebym wzięła klucze do jego mieszkania, na wypadek gdyby zdarzyło się, że przyjadę do Paryża w czasie jego nieobecności.

– Weź te klucze, bo mój dom jest twoim domem. Jak tylko skończę tournée, wrócę tu i nie wyjadę bez ciebie. Nie odbieraj mi nadziei. Powiedziałem sobie, że jak będziesz miała klucze, przyjedziesz.

Miał rację. Pojechałam tam wkrótce, bo Marion otworzyła wreszcie swój wymarzony kabaret. Przysłała mi zaproszenie na występy i po ciężkich zmaganiach wewnętrznych zdecydowałam się na ten kontrakt.

Po odjeździe Daniela nie mogłam znaleźć spokoju. Zaraz po odwiezieniu go na lotnisko wróciłam do domu i poprosiłam Pawła, żebyśmy poszli gdzieś do kawiarni na ważną rozmowę.

– Co ty powiesz? – zadrwił. – A czy ta ważna rozmowa nie powinna była się odbyć przed wyjazdem w tę twoją „intratną trasę"? Ciekaw jestem, ile zarobiłaś?

Milczałam. On coś wiedział. Ale skąd? Tym lepiej – pomyślałam.

– Nie chcę o tym rozmawiać w domu. Przy twojej niecierpliwości i wybuchowości dojdzie do awantury.

– A cóż to za rewelacje masz dla mnie z tej twojej „intratnej trasy"? – kpił.

– Proszę cię, nie rozmawiajmy o tym tutaj. Umów się ze mną.

– Umawiać się możesz z gachem, z którym udajesz się w tajemne podróże. A mnie powiesz, co masz do powiedzenia, tu i teraz!

– Skąd ty wiesz?... – spytałam zdumiona.

– Och, świat jest mały. Tak się złożyło, że Marzeccy byli w Krzyżach na grzybach i widzieli cię, jak przyklejona do niego włóczyłaś się po lasach. Kim jest ten łajdak?

– Bardzo przyzwoitym człowiekiem.

– Wyobrażam sobie! Z tych, co bałamucą cudze żony. Pięknie się spisałaś. Jeździć afiszować się w miejscu, gdzie nas wszyscy znają! Michał nie wytrzymał, od razu przyleciał zapytać, czy się z tobą rozwiodłem.

– Masz taki zamiar?

– Wybij to sobie z głowy. Nie będę ci szedł na rękę.

– A skąd ty wiesz, co mi jest na rękę, skoro nie dasz mi nawet dojść do słowa?

– Nie myślę słuchać twoich krętactw i zapewnień.

– Nie będzie nic takiego. Jedno, o co cię proszę, to danie mi trochę czasu. Nie chcę, żebyśmy byli wrogami. Jeśli mamy się rozstać, niech to się stanie spokojnie.

– Nawet sobie nie marz o rozstaniu. Jesteś moją żoną i masz psi obowiązek zostać przy mnie. A o tym łajdaku zapomnij. Ja też miałem swoje słabostki. Dlatego przymykam na to oko. I nie wracajmy do tego więcej.

– Nie, Paweł. To wcale nie jest tak, jak myślisz. Ja jestem… jestem w strasznej rozterce. Nie wiem, jak będzie dalej. Wiem, że nie mogę być z tobą tak, jak dotąd.

– Będziesz ze mną, dokąd ja będę tego chciał. – Złapał mnie za ręce i ścisnął je tak, że krzyknęłam. – Krzycz sobie, krzycz, i tak zrobię z tobą, co zechcę ty… ty…

Nie wiem, co zrobiłby w złości, gdyby nie zazgrzytał klucz w zamku. Wracała Joasia. Popchnął mnie, aż potoczyłam się na ścianę. Uderzyłam się boleśnie w ramię o framugę drzwi. Drżałam ze zdenerwowania.

– O, jest mama – ucieszyła się Joasia. – Co ci się stało? – spytała widząc, że rozcieram sobie ramię.

– Nic, uderzyłam się o drzwi.

– Naprawdę nic ci się nie stało? Jesteś taka blada. Mocno się uderzyłaś? Biedna mamuśka.

– Zaraz przejdzie, córeczko.

Paweł tymczasem zamknął się w swoim pokoju i zaczął pisać na maszynie.

– Wyobraź sobie, że dostałam dziś czwórkę z matmy, spodziewałaś się tego po mnie? Trafiło mi się, jak ślepej kurze ziarno.

– Cieszę się, kochanie. Opowiadaj, jak było w czasie mojej nieobecności? Wszystko dobrze?

– OK. Tata wczoraj wrócił z Krakowa, a do tego czasu Magda u mnie mieszkała, jej mama się zgodziła.

– I co robiłyście?

– Wyobraź sobie, że uczyłyśmy się matmy. No... nie tylko. A tobie jak się udało?

– Było bardzo miło.

Paweł był niezmiennie nastroszony. Prawie nie odzywał się do mnie. Wiedziałam, że będzie zły, zmartwiony, ale nie spodziewałam się tej całej agresji i zaciętości. Usiłował raz czy dwa zmusić mnie, żebym poszła z nim do łóżka. Nie chciał jednak zbytnio się ze mną szamotać, żeby nie budzić Joasi. Kiedy po takim zdarzeniu przepłakałam całą noc, przeprosił mnie.

– Nie panuję nad sobą, przepraszam – powiedział.

Od tej pory trochę się uspokoił, także dlatego że poza pracą nigdzie nie wychodziłam z domu.

Wyciągnął z tego fałszywe wnioski. Skąd mógł wiedzieć, że Daniel jest za oceanem? Kiedy nadszedł list z zaproszeniem od Marion, byłam najpierw zdecydowana odmówić. Paweł pchnął mnie do wyjazdu nie wiedząc, że działa przeciw sobie.

– Jedź stąd lepiej. Spojrzysz na wszystko z dystansu i może zaczniesz żyć normalnie.

Wiśniowy sad

Kiedy przyjechałam do Paryża, zostały dwa dni do powrotu Daniela z Kanady. Na dnie mojej torebki, w małym skórzanym etui tkwiły klucze do jego mieszkania.

Na Gare du Nord powitały mnie Marion, Geneviève i Baśka z Antkiem, wszyscy proponowali, żebym u nich mieszkała. By nie zrobić nikomu przykrości, powiedziałam, żeby zawieźli mnie na Lauriston, do hotelu.

Z radością witałam się z Paryżem. Odwiedzanie znajomych miejsc, spotkania z przyjaciółmi zapełniały mi czas tak bardzo, że nie miałam czasu myśleć o mojej wciąż nie rozstrzygniętej sytuacji. Omijałam na razie Avenue Foche, gdzie mieszkał Daniel. Trzeciego dnia jednak zabłąkałam się tam i zobaczyłam światło w oknach salonu. Daniel wrócił.

Stałam pod bramą niezdecydowana. Mimo że miałam klucze, nie skorzystałam z nich, nie chciałam znaleźć się u niego bez uprzedzenia.

Paryż jest wielki, możemy być w nim oboje i nie spotkać się długo. Tylko dlaczego ja mam się przed nim ukrywać? A jeśli on już wcale nie czeka? Przecież to, że wtedy dał mi klucze, nie musiało znaczyć, że jego uczucia nie ulegną zmianie. Rozmyślałam tak, póki nie zbliżyłam się do budki telefonicznej. To rozstrzygnęło sprawę. Zadzwoniłam do niego.

– Halo, czy to mieszkanie Daniela Sauvalla? – spytałam niepewnie.

Usłyszałam w słuchawce obcy męski głos.

– Daniel, szczęściarz z ciebie, masz tu swoją Ewę!

– Ewa, jak to miło cię słyszeć. Dzwoniłem do ciebie wczoraj. Nikogo nie było w domu. Próbowałem potem drugi raz i linia była zajęta. Co słychać?

– Danielu, ja jestem tutaj.

Drżałam, że się zdradzi z tym, iż moja obecność jest dla niego kłopotliwa.

– Tutaj? W Paryżu? To gdzie się podziewasz, przecież dałem ci klucze. Gdzie jesteś, jadę po ciebie w tej chwili.

– Nie trzeba. Jestem tuż obok. Ale u ciebie ktoś jest.

– To Jimmy. Przybywaj, *mon amour*. Jakże się cieszę!

Taki jest Daniel. Wierny i spontaniczny. Odłożyłam słuchawkę i znowu naszły mnie wątpliwości. Przecież nic jeszcze nie postanowiłam, nie mogę utrzymywać go w ciągłej niepewności. Po co zadzwoniłam, po co?

Było jednak za późno na wycofanie się, bo Daniel już był na dole i rozglądał się po ulicy. Piękny, opalony, z rozradowaną miną wyszedł mi na spotkanie. Zbliżyłam się i nie zdążyłam wypowiedzieć słowa, a już trzymał mnie w objęciach.

– Tak się bałem, że znowu będę szalał z tęsknoty, tak się bałem.

– Daniel, przyjechałam na zaproszenie Marion – śpiewam w jej nowym kabarecie.

– To dobrze. A gdzie twoje rzeczy?

– W hotelu na Lauriston.

– Dlaczego?

– Musiałam gdzieś zamieszkać.

– Przecież miałaś klucze. Specjalnie ci je zostawiłem.

– Skąd mogłam wiedzieć, czy mnie jeszcze chcesz, czy jesteś sam?

– Chodź, to się przekonasz.

Wziął mnie za rękę i wprowadził do windy. Zatrzymała się na trzecim piętrze w jego apartamencie.

– Hej, hej – powiedział do mnie Jimmy.

Był to mężczyzna około czterdziestoletni, o wysportowanej sylwetce, ostrzyżony na jeża. Miał promieniste zmarszczki wokół oczu, świadczące o tym, że lubi się śmiać.

– Popatrz, kogo przyprowadziłem – powiedział Daniel – moją princessę.

– Salut, Ewa – powiedział Jimmy i ucałował mnie w oba policzki. – Właśnie zwiedzałem sanktuarium.

– Jakie sanktuarium? – spytałam zdziwiona.

– Chodź, popatrz sama – i wprowadził mnie do sypialni Daniela.

– Tylko się ze mnie nie śmiej, Ewo – powiedział Daniel.

– Wzruszy się i nie odejdzie już od ciebie ani na chwilę – wtrącił Jimmy z ironią.

Spojrzałam na niego. Mierzył mnie badawczym spojrzeniem. Chyba nie bardzo za mną przepada – pomyślałam.

Na półce przy łóżku Daniela stały rzędem książki. Kiedy byłam tu poprzednim razem, nie trzymał ich w sypialni.

– Podejdź i obejrzyj tytuły – zaproponował Jimmy.

Czytałam po kolei:

Przemarsz Napoleona przez Polskę, *Polacy we francuskim ruchu oporu*, *Polskie tereny łowieckie*, *La cuisine polonaise*, *Tatry Polskie*, album *La Pologne* oraz z serii „Wielkie miłości" – *Napoleon i Maria Walewska*, *Fryderyk Chopin i George Sand*, *Honoré Balzac i Ewelina Hańska* oraz okładka skoroszytu podpisana: „Miłość Daniela – Ewa Rawska".

– To ostatnie, nie dokończone dzieło Daniel dostał ode mnie – pochwalił się Jimmy. – Już chciałem dopisać tragiczne zakończenie, ale pokrzyżowałaś mi plany i pojawiłaś się tutaj. Będziesz musiała sama wymyślić pointę.

– Skąd masz to wszystko? – spytałam.

– Jest zapalonym kolekcjonerem – wyręczył go Jimmy. – Ma też inne eksponaty: tutaj wisi szlafrok, który miałaś przez dwie godziny na sobie, w związku z czym Daniel co dzień odmawia przed nim modlitwę. Tutaj znów w celofanowej torebce przechowuje twój znaleziony w łazience włos. Zamierza uczynić go celem świętych pielgrzymek. Twój wyznawca bowiem patrząc na niego czerpie natchnienie i wolę życia – a więc musi to być święty włos. Ewo, muzo szaleńców! Miał jeszcze odcisk twojej cudownej głowy na poduszce, ale sprzątaczka z właściwym sobie wandalizmem zniszczyła go.

Mimo że komentarz Jimmy'ego zmusił mnie do uśmiechu, miałam gardło ściśnięte wzruszeniem. Nikt nie jest taki jak Daniel! – pomyślałam.

– Co się tyczy serii „Wielkie miłości" – powiedziałam – znam z historii mojej rodziny coś do kolekcji – hrabia François d'Arsac, jeden z adiutantów Napoleona, i moja praszczurzyca Antośka Domańska pobrali się i żyli szczęśliwie aż do śmierci.

– Historia lubi się powtarzać, napawa mnie to nadzieją – odezwał się wreszcie Daniel.

– Zostawiam was samych, *les amoureux** – oświadczył Jimmy. – Ewo, ty czarownico. Nie rzucaj na niego więcej uroków, bo będę zmuszony szukać pracy. Szaleńcy to nie mój biznes.

– Ja przecież nic nie robię…

– Otóż właśnie to – powiedział Jimmy i pożegnał się z nami.

– Kiedy przyjechałeś? – spytałam, gdy zostaliśmy sami.

– Dwie godziny temu, a ty?

---

* kochankowie, zakochani

– Jestem tu od czterech dni.

– I nie przyszłaś do mnie?

– Przecież jestem, a zresztą nie było cię, po co miałam przychodzić? Za dwie godziny muszę iść do pracy.

– Pójdziemy razem.

– Wykluczone, nie chcę, żeby mieli pożywkę dla plotek.

– Niech się przyzwyczajają, że jesteśmy razem.

– A jesteśmy?

– To zależy tylko od ciebie, kochanie.

Pracowałam wieczorami u Marion. Daniel spędzał długie godziny w studiu nagrań. Miał wspaniały okres w pracy.

– Powinnaś być tu zawsze, Ewo – powiedział do mnie Jimmy, kiedy zostaliśmy sami. – Przy tobie on robi wspaniałe rzeczy. Ale ty nie jesteś z tych, które poświęcą się dla kogoś.

– Mylisz się, Jimmy – zaoponowałam – dlatego wciąż nie mogę podjąć decyzji, bo liczę się z innymi.

– Ty go kiedyś zniszczysz, nie zasłużył sobie na to.

– Nie chcę tego, Jimmy, ja go kocham.

Geneviève trochę się ode mnie odsunęła. Chyba uważa, że jestem za blisko Daniela. Już zapomniała, jak straciła głowę dla Łukasza. Przykro mi z tego powodu, że nie mam czasu dla Geneviève ani nikogo innego prócz Daniela. On chciałby się ze mną pokazywać, ja boję się tego panicznie. Dręczę się tak dalece, że tracę apetyt i chudnę, źle sypiam i jestem na skraju rozstroju nerwowego, ale nie mogę się wyrzec Daniela. Jego bliskość działa na mnie jak hipnoza. Jednak nie zgadzam się na wspólną pracę. Nie chcę wszystkiego zawdzięczać jemu, korzystać z jego sławy, pieniędzy i możliwości. Może kiedyś będę myślała inaczej, teraz mam swój „Wiśniowy sad".

Wzięłam kiedyś do pracy szkicownik i narysowałam portrecik Marion, Rogera i muzyków. Potem naszkicowałam Ingrid ze skrzypcami i Jacquesa przy fortepianie. Wreszcie, zainspirowana treścią śpiewanych przez Andrieja piosenek, zaczęłam rysować trojki rozpędzonych koni, ośnieżone chatki i rozległe stepowe równiny z kurhanem i bandurzystą. Roger przyglądał się moim gryzmołom i powiedział:

– Już wiem, kto zrobi dekorację w naszym kabarecie. Jutro kupimy u Dalberta farby oraz pędzle i Ewa zabierze się do roboty.

– Żartujesz?

– Mówię poważnie. Po co mam płacić ludziom, którzy powymyślają zapewne jakieś dziwaczne stylizacje. W tym, co rysujesz, jest prostota i prawda. Jeśli potrafisz to oddać w kolorze, nie będzie drugiego takiego miejsca w Paryżu.

– I będzie mi wolno zamalować całą tę drewnianą ścianę naprzeciw baru? – spytałam z nadzieją.

– Możesz pomalować wszystkie ściany, drzwi, sufity, szyby, wszystko, co ci się spodoba.

– Serio?

– Mam ci przysięgać?

– Nie musisz. Uwierzę, gdy zobaczę farby.

Nazajutrz Marion zadzwoniła do mnie przed południem.

– Czeka tu na ciebie całe pudło farb, a także pędzle i drabina. Czy chcesz to zobaczyć?

– Jadę do was w tej chwili.

Ubrałam się w wygodne sportowe ciuchy i z głową pełną obrazów, które zamierzałam utrwalić, pojechałam do „Wiśniowego sadu". Aż mi się zrobiło gorąco na widok rozmaitości przyborów malarskich, o których zawsze marzyłam oglądając sklepy dla malarzy na Montmartrze. Przypomniałam sobie, jak zazdrość ogarniała mnie zawsze, kiedy przystawałam przy pacykarzach na placu du Tertre, na widok ich śmiałych pociągnięć pędzlem. Jak ich podziwiałam i podpatrywałam. Patrzyłam często z uwagą na poczynania mojej siostry studiującej architekturę wnętrz. Jakże jej zazdrościłam obcowania z czarodziejskim światem barwnych plam, które układają się posłusznie w obrazy. Nadarzyła się oto okazja, że mogłam sobie poszaleć z farbami. Daniel i tak był teraz przez całe dnie zajęty w studiu nagrań. Chciał, żebym siedziała tam przy nim, ale wiedziałam, że go to rozprasza. Dobrze więc, że mam się czym zająć.

– A co będzie, jeśli mi się nie uda?

– Nie wypuszczę cię stąd, póki nie będę zadowolony – powiedział Roger. – Wydałem na farby fortunę, już się nie wykręcisz.

– No to zaczynam: w imię Ojca i Syna...

Na początek zabrałam się do drewnianej ściany *vis-à-vis* baru. Pociągnięciami dużego pędzla wyczarowałam błękitne niebo, na nim obłoczki, w dole rozprowadziłam zieleń z beżem, z czego wyłoniła się wschodząca trawa, i zaczęłam malować rzadko stojące drzewka kwitnącej wiśni.

– Wiśniowy sad – ucieszyła się Marion. – To piękne, co robisz.

– Cieszę się, że ci się podoba.

Pracowałam w jakimś szale. Szybko wyrastały spod pędzla drzewa, postacie ludzi i zwierząt. Po kilku godzinach ściana była już gotowa. Przestawiłam drabinę i zabrałam się do okapu nad barem.

Uśmiechałam się do siebie i do tego, co udało mi się stworzyć. Nie zważałam na to, że ręce mam po łokcie utytłane w farbach, odgarniałam tylko włosy i dalej malowałam, co tylko mi przyszło na myśl. Szalałam z pędzlem, a właściciele patrzyli zafascynowani. Dołączyli do nich kelnerzy z sąsiedniej restauracji i sprzedawcy z przeciwka. W pewnej chwili usłyszałam głos Daniela:

– Oszalałaś? Po diabła weszłaś na tę drabinę?

Odwróciłam się. Daniel stał w kasku motocyklowym, z otwartymi ze zdumienia ustami i z zadartą głową patrzył na mnie i moje dzieło. Zeszłam z drabiny z paletą w ręce. Odskoczył ode mnie jak oparzony. Spojrzałam w lustrzany kawałek ściany i zrozumiałam. Twarz miałam upstrzoną farbami, rozmazane smugi na czole i ręce w krwawej posoce. Właśnie malowałam wiśnie i jarzębiny.

– Na dzisiaj koniec – powiedziałam do gospodarzy.

– Znalazłeś kartkę? – zwróciłam się do Daniela.

– To chyba oczywiste, inaczej nie byłoby mnie tutaj. Co to znowu za historia z tym malowaniem?

– Powierzono mi dekorację lokalu – powiedziałam z dumą.

– O Boże, szarlatanko szalona, ty i to potrafisz? Całkiem ładne, pogodne obrazki – pochwalił.

– Wieczór masz wolny, Ewo. Zamykamy na tydzień kabaret, chyba skończysz za tydzień przy twoim tempie?

– Hura! – krzyknął Daniel – nie będziesz pracować wieczorami.

– Tylko do czasu skończenia dekoracji – powiedziała Marion.

– Mieliśmy jechać do Fontainebleau, zapomniałaś?

– Hondą? Wiesz, że nie lubię tej piekielnej maszyny.

– Muszę się odprężyć. Strasznie było dziś nerwowo w studiu.

Daniel uwielbiał szybką jazdę motocyklem. Gnał po autostradach jak diabeł, z szybkością dwustu kilometrów na godzinę, i czuł się szczęśliwy. Tę hondę kupił dwa tygodnie temu, a ja bałam się jej panicznie. Z przerażeniem patrzyłam na zostające za nami samochody. Daniel pomógł mi się ubrać w skórzany czarny kombinezon i założył mi kask. Pomknęliśmy w dół nad Sekwanę. Manewrując zręcznie między samochodami wydostał się wreszcie na Périphérique, a potem na autostradę. W Melun zrobiliśmy krótką przerwę, żeby zamienić parę słów z Dominikiem Pelem z radiowej redakcji muzycznej. Był przyjacielem

Daniela i miłośnikiem mego śpiewania romansów. Zawsze gdy dowiadywał się, że jestem w Paryżu, robił ze mną audycję. Wypiliśmy kawę w pobliskim barku, gdzie Dominik zaczął mnie namawiać na wywiad o muzyce polskiej.

– Ona teraz zmieniła profesję, zajmuje się malarstwem ściennym, popatrz, jakie ma pazury – zażartował Daniel.

Rzeczywiście miałam zacieki z farby pod paznokciami.

– *C'est incroyable*!* – wykrzyknął Dominik. – Przestałaś śpiewać?

– Waham się właśnie. Nie wiem, co mi przyniesie większą sławę?

– Na pewno nie pacykowanie po ścianach – stwierdził mój Otello. Był wściekle zazdrosny o wszystko, co robię bez niego, chciał mnie mieć tylko dla siebie. Wspólne śpiewanie, moje asystowanie mu w studiu i jego siedzenie przy mnie w kabarecie – tak, ale nie jakieś dziwne zajęcia z dala od niego. Chce, żebym zawsze była blisko.

Nie miał racji krytykując moje upodobanie do pacykarstwa, bo zyskałam jednak uznanie jako malarz. Kiedy pokryłam już farbą w „Wiśniowym

---

* Nie do wiary!

sadzie" wszystko, co się dało, przyszedł tam pewien dziennikarz, popatrzył i poświęcił mi w „Paris Dimanche" całą szpaltę: „...w tym kabarecie wymalowanym przez Ewę Rawską snują się błękitne dymy, a ona śpiewa wśród swoich bajecznych obrazów, przywodzących na pamięć twórczość Chagalla..." Naprawdę mnie z nim porównał! Napisał jeszcze, że to jedyne takie miejsce w Paryżu, gdzie można odetchnąć atmosferą prawdziwie słowiańską i posłuchać wspaniałych głosów niezniekształconych mikrofonem. Ludzie zaczęli przychodzić, żeby sprawdzić, czy to prawda, a zadowolona powodzeniem Marion usiłowała wytargować u Daniela dodatkowe godziny mojej pracy. Jeszcze przed ukończeniem dekoracji sprzedaliśmy razem mój „obraz", z czego do dzisiaj mamy zabawę.

Było to późnym popołudniem, kiedy kończyłam obrazki na witrynach. Przyszedł po mnie Daniel i pomagał mi składać farby. Ukrył się na chwilę we wnętrzu, a wówczas na ulicy pojawił się jakiś człapiący człowiek ze spuszczoną głową. Nagle, prawie dochodząc do mnie, stanął jak wryty i patrzył na moje nogi. Cofnął się, przymrużył oczy, przeszedł na drugą stronę ulicy, postał trochę, popatrzył, wciąż na dół. Zainteresowałam się jego dziwnym zachowaniem i też zaczęłam oglądać swoje nogi. W poplamionych farbami adidasach i wytartych dżinsach nie prezentowały się dobrze. A facet wyraźnie był nimi urzeczony. Pochodził tak, popatrzył, aż w końcu zbliżył się do mnie.

Daniel obserwował go już od jakiegoś czasu, teraz stanął obok mnie gotów mnie bronić.

– *Oh, quel plaisir, monsieur Sauval, n'est-ce pas*?* – powiedział ujrzawszy nagle Daniela. – *Et vous, madame, vendez ça pour combien*?**

„Oszalał czy co? – pomyślałam. – Chce kupić Daniela?" Lecz on patrzył znowu na moje nogi. Mój luby poszedł za jego wzrokiem i w oczach jego zapaliły się wesołe iskierki.

– Ja, proszę pana, wczoraj kupiłem trochę większy za pięć tysięcy franków – powiedział. – Umieściłem go w salonie i dzisiaj przyszedłem kupić drugi, żeby powiesić po drugiej stronie kominka.

– O czym ty… – szepnęłam.

Daniel mrugnął do mnie porozumiewawczo. Potem schylił się szybko i podniósł deskę opartą o ścianę. Używałam jej jako palety, zanim nie upaprałam tak, że przestała się do tego nadawać. Ściekające farby utworzyły przedziwną kompozycję.

---

* Oh, jak to miło, pan Sauval, nieprawdaż?

** A pani sprzedaje to po ile?

– Cztery tysiące – powiedział wariat. – Więcej nie mam przy sobie.

Daniel trącił mnie w bok i szepnął: – Powiedz, że się zgadzasz.

– Na co?

– Sprzedaje pani czy nie? – molestował przechodzień.

– A może pan to już kupił? – spytał Daniela. – Miło mi, że pan też lubi obrazy nowoczesne.

– Chętnie ustąpię panu, chociaż z żalem. Zamówiłem sobie u madame trochę większy, tego samego rozmiaru, co kupiony wczoraj.

Ku memu osłupieniu szalony przechodzień wysupłał z portfela cztery tysiące franków i uszczęśliwiony oddalił się z mokrą jeszcze, upacianą farbami deską.

– Boże mój – powiedziałam. – Dogoń go, przecież to oszustwo!

– Ani mi się waż. Przejdziesz do potomności, *mon amour*. Jak widzisz, prawdziwa sztuka nie ma ceny.

– I ty masz sumienie? Myślałam, że to wariat. Jesteś szalony, Daniel. Zobaczysz, on tu jeszcze wróci.

– Nie wróci.

Miał rację. Przez kilka dni nosiłam w kieszeni tę sumę na wszelki wypadek, gdyby ów człowiek zechciał jej zwrotu, ale nie zjawił się więcej, zostawiając mnie w przeświadczeniu, iż faktycznie pieniądze leżą na ulicy.

Rozstania i powroty

Daniel koniecznie chciał mnie zabrać ze sobą na tournée australijskie. Odkąd lekkomyślnie opowiedziałam mu o tym, jak Paweł chciał mnie siłą wciągnąć do łóżka, Daniel bał się o mnie. Wywierał nacisk na Jimmy'ego, żeby użył swoich wpływów i załatwił dla mnie wizę australijską. Na moje protesty nie reagował. Kiedy okazało się, że wyjazdu nie da się załatwić, załamał się zupełnie. Gryzło mnie sumienie. Zaczęłam rozumieć, że jeśli nie mogę odpłacić mu za uczucie całkowitym oddaniem, powinnam usunąć się z jego życia. Wbiłam sobie do głowy, że mój związek z nim nie może skończyć się dobrze. Nie mogłam wyobrazić sobie zarówno rozstania, jak i wspólnej przyszłości. Nie byłam przecież sama. Tęskniłam za Joasią, mamą i dręczyło mnie sumienie za... Pawła. Mama pisała, że posiwiał ostatnio, że często jeździ do Krakowa i stał się milczący i poważny. Im bardziej zbliżał się termin wyjazdu na tournée, tym było nam ciężej. Były to smutne, szarpiące nerwy chwile. Nie sypialiśmy prawie. Zawsze kiedy na chwilę zasnęłam, budziłam się zaraz ściągnięta jego wzrokiem. Pochylał się nade mną i patrzył z rozpaczą.

Postanowiłam wyjechać przed nim, żeby położyć temu kres. W przeddzień wyjazdu pojawił się Jimmy. Byłam w łazience, kiedy dobiegły do mnie podniesione głosy.

– Chwała Bogu, że jedzie, może się wreszcie opamiętasz – krzyczał Jimmy.

– O, tak. Wiem. Ty zrobiłbyś wszystko, żeby nas rozdzielić. Gdybyś chciał, pojechałaby ze mną.

– Zrozum, idioto, że ona sama nie chce z tobą jechać. Niech to wreszcie do ciebie dotrze! Jeżeli chcesz, żebym dla ciebie pracował, jej fanaberie nie mogą dyktować mi warunków ani terminów – krzyczał Jimmy.

– Znasz sytuację w jej kraju. Tam wszystko jest trudniejsze.

– To niech się rozwiedzie, wyjdzie za ciebie i wszystko stanie się proste.

– Szanuję jej szlachetność i wrażliwość i muszę poczekać, aż oswoi się ze zmianą. To nie jest dla niej takie proste.

– Nie mogę patrzeć, jak tracisz oddech w sieci tej, jak to nazywasz, „szlachetności"! Gdybym nie był twoim przyjacielem, machnąłbym dawno na wszystko ręką. Masz rację, robię wszystko, żeby cię oderwać od tej bezsensownej miłości i nie spocznę, zanim tego nie dokonam.

– Milcz! Ani słowa więcej. To ja zarzucam sieci na nią, a nie odwrotnie.

– Daniel. Uspokój się, chłopie. Ty chyba tracisz rozum. Rozłąka dobrze wam zrobi. Spojrzycie na wszystko z dystansu. Zobaczysz rzeczy we właściwych proporcjach. Ja nie mam nic przeciwko Ewie. To świetna dziewczyna. Tylko nie dla takiego romantyka jak ty. Gdybym był na twoim miejscu, skończyłbym się do niej modlić i postawił twarde warunki. Przekonałbyś się wtedy, ile naprawdę dla niej znaczysz. Czy ty straciłeś poczucie własnej wartości? Nie wiem, jak do ciebie przemawiać, żebyś przejrzał na oczy?

– Nie będę stawiał żadnych warunków – mówił Daniel z naciskiem – cieszę się każdą przeżytą chwilą i proszę cię, zostaw moje sprawy mnie. I ciszej mów, bo ona zaraz wyjdzie z kąpieli.

– Jesteś mięczak. Żałosny, ogłupiony mięczak.

Nie mogłam dłużej tego słuchać. Zakręciłam wodę, narzuciłam szlafrok i weszłam do pokoju.

– Halo, Jimmy. Głośno rozmawiacie. Musiałaby szumieć Niagara, żeby was zagłuszyć. Masz rację. Nie jestem warta Daniela i możesz być spokojny, nie zrujnuję mu życia. Jestem ostatnią osobą, która chciałaby mu szkodzić, ja... – i rozpłakałam się.

– Ewa... Jimmy, zostaw nas, proszę.

– Dajcie wy mi święty spokój! Para idiotów. Połóżcie się i umrzyjcie z miłości. – Trzasnął drzwiami i wyszedł.

– No i co? – spytał Daniel? – Przecież nie wyjedziesz teraz?

– Muszę. Rozmawialiśmy już o tym sto razy. Tam jest moje dziecko, matka...

– Dziecko jest panienką, a matka... możemy ją tu sprowadzić.

– Porozmawiamy o tym, jak wrócisz. Przecież nie poświęcisz dla mnie pracy, kariery. Musisz myśleć o sobie, swoim synu i... Jocelyne. Ona też jeszcze będzie nieraz potrzebowała twojej pomocy. Nie jesteśmy sami na świecie...

– Myślę zawsze o wszystkich, ale ty liczysz się dla mnie najwięcej. Gdybyś mnie kochała, nie wahałabyś się korzystać z mojej pomocy. Wszystko mogłoby się ułożyć. Pracowałabyś ze mną... Może Jimmy ma rację, ty mnie nie kochasz...

Ostatnio Daniel powtarzał to często, zwłaszcza kiedy uchylałam się od przyjmowania prezentów.

Dbał o to, żebym jak najmniej zajmowała się pracami domowymi. Wrócił kiedyś i zastał mnie krzątającą się w kuchni. Zamierzałam mu przyrządzić polską kolację. Usiadł w salonie nie zdejmując kurtki i posępnie zapatrzył się w okno. Podeszłam do niego i spytałam:

– Co się stało, królewiczu z bajki, jakieś kłopoty?

– Ty mnie już nie kochasz...

– Co ci strzeliło do głowy? Nie mogę doczekać się na ciebie. Właśnie robię ci zrazy po polsku.

– Właśnie! Umawialiśmy się, że nie będziesz biegła na scenę prosto od zajęć kuchennych, jak to czyniłaś w Polsce. Dość się już napracowałaś.

– Do licha! Przestań się wygłupiać. Każda kobieta chce czasem dogodzić podniebieniu swego miłego.

– A kochasz mnie jeszcze?

– Po co siedziałabym tu w kuchni, zamiast na przykład rysować sobie. Wiesz, że wolę to od pichcenia. Naturalnie, że cię kocham, ty głuptasie.

Po tych zapewnieniach pożarł zrazy z wielkim apetytem.

Syna Daniela, Christof, ładny siedemnastoletni chłopak, miał już przerwę świąteczną w szkole.

Odebraliśmy go z internatu i obaj odwieźli mnie na lotnisko. Na czułość, jaką mi okazywał jego ojciec, reagował życzliwie i złapałam go na tym, jak mrugał do Daniela, dając mu znak, że mnie akceptuje. Bardzo byli do siebie podobni, patrzyłam na nich ze wzruszeniem, ciesząc się, że wkrótce i ja zobaczę moją córkę. Cieszyłam się też z tego, że obecność Christofa złagodzi Danielowi samotność po moim odjeździe. Jechałam z mocnym przekonaniem, że jeśli nasza miłość wyjdzie zwycięsko z tak długiej rozłąki, zrobię wszystko, żebyśmy nie rozstali się więcej.

Pojawiłam się w domu jak święty Mikołaj, z workiem prezentów. Przyjechała do nas mama ze swoim mężem. Paweł został z nami na wigilii, ale nocą wyjechał do Krakowa. Chyba zaczynał sobie wić tam gniazdko ze swoją buntowniczką Anną Rolicką, jedną z listy urodzinowej. Razem działali w opozycji przeciw ustrojowi i przeciw mnie, chociaż nasze opcje polityczne się nie różniły. Noc sylwestrową postanowiłam spędzić w domu z rodziną, za to Joasia wybrała się na pierwszą w życiu prawdziwą prywatkę. O północy zadzwonił telefon.

– *Bonne année, chérie*! I nigdy więcej Nowego Roku osobno.

– *Bonne année*, królewiczu z bajki. Jak tam na antypodach?

– Gorąco i smutno. Dobrze, że jest praca, inaczej bym zwariował. To dopiero dwa tygodnie. Pomyśl. Dopiero dwa tygodnie! Nie mogę się z tym pogodzić.

– Mnie też niełatwo, Danielu.

Opowiedział mi o swoich sukcesach i o tym, że w drodze powrotnej jeszcze będzie miał koncerty w Tokio i w Manilii. Na szczęście nie przedłuży to naszej rozłąki, bo i tak z Australii mieli wyjechać parę dni po zakończeniu trasy.

Po tym telefonie odbyłam długą rozmowę z mamą. Opowiedziałam jej o moich rozterkach, o tym, jak wygląda moje życie z Danielem, pokazałam fotografie. Oglądała je z uwagą i smutno kiwała głową.

– Wiem, Ewuniu, że serce nie sługa, ale czy jesteś pewna, że dobrze lokujesz swoje uczucia? To taki sławny i przystojny człowiek. Musi mieć wiele okazji... Boję się, że wyjdziesz z tego zraniona...

– Mamo, przestań krakać. Nie znoszę tego. Mam do niego zaufanie.

– Jak uważasz, dziecko. Ja tylko chcę twojego dobra.

– Życia za mnie nie przeżyjesz.

Zmieniłam temat.

Chociaż sama miewałam czasem wątpliwości co do trwałości uczuć Daniela, nie znosiłam, gdy ktoś robił jakiekolwiek aluzje na ten temat. Bałam się, że obawy mamy, która zresztą chciała jak najlepiej, zapeszą nasze szczęście. Może dlatego że po wyczynach Pawła nabrałam przekonania, iż mężczyźni dopóty bywają wierni, póki nie zdobędą pewności, że przedmiot ich miłości jest im dany na zawsze. Pewnie to jakaś skaza na mojej psychice...

Było już po pierwszej, kiedy zaczęłyśmy zastanawiać się z mamą, jak Joasia bawi się na swojej prywatce. Mama uraczyła mnie porcją opowieści o tym, czym kończyły się zabawy nastolatków zostawionych samym sobie, więc około drugiej postanowiłam pojechać po moją córkę, mimo że dostała zgodę do czwartej. Muzyka w domu, w którym mieszkała Magda, była tak głośna, że trafiłyśmy jak po sznurku. Dzwoniłyśmy, pukałyśmy i nikt nie otwierał. W końcu poruszyłam klamką i okazało się, że drzwi nie są zamknięte. Muzyka rozrywała bębenki uszu, a Magda z Joasią ułożone obok siebie na dywanie, zaśmiewając się oglądały zdjęcia Davida Bowie. Dwie inne dziewczyny tańczyły machając gęstymi grzywami rozpuszczonych włosów. Chłopaków nie było.

– Co się tu dzieje, czemu ten adapter tak ryczy? – krzyczałam.

– Przecież jest Sylwester. Nie ryczy, tylko gra – poprawiła mnie Joasia. – Już czwarta?

– A gdzie są chłopcy?

– Poszli do Wojtka. Tam jest piwo. Wolałyśmy zostać tu same.

– To nie udała się zabawa?

– Dlaczego? Jest bosko!

Spojrzałyśmy z mamą na siebie. Obie miałyśmy głupie miny. Ta nasza zdeprawowana dorosła wyobraźnia!

– Mamo – poprosiła Joasia – pozwól mi zostać do rana. Rodzice Magdy pojechali aż do Konstancina i wrócą dopiero w południe.

– Naprawdę, proszę pani, jest tak fajnie. Taka noc jest raz w roku, proszę się zgodzić!

Co miałam robić, skoro było „tak fajnie"? Nie zamierzałam psuć im zabawy i odrywać je od papierowego kochanka, którego kolorowe fotosy zaścielały cały dywan. Cóż... Szczęście niejedno ma imię...

Kilka dni po nowym roku wrócił Paweł i podał mi zagraniczny magazyn ilustrowany.

– Masz prezent. Pewnie stęskniłaś się już za swoim francuskim żigolo, to mu się przyjrzyj i przestań się łudzić, że on też za tobą tęskni.

– Daruj sobie tę żółć. Daniel nie jest żadnym żigolo.

– Co ty powiesz?

– A kto ci powiedział, że on mnie w ogóle interesuje?

– Cały Kraków aż huczy od plotek. Łukasz przyjechał i zrobił ci reklamę.

– Myślałam, że bywasz w Krakowie z innego powodu niż zbieranie plotek o mnie.

– Zapominasz, że jesteś wciąż moją żoną.

– A ty przypominasz sobie o tym w dziwnych okolicznościach.

Patrzyłam na okładkę pisma, które mi wręczył Paweł, a moje serce zamieniało się w bryłkę lodu. Wielkie kolorowe zdjęcie przedstawiało roześmianego Daniela z piękną dziewczyną w koronie. Ona trzymała w ramionach małego kangurka, a on rękę na jej ramieniu.

Paweł podszedł i usiłował mnie objąć.

Odsunęłam się.

– Jesteś niepoprawnie naiwną osóbką, Ewa. Żaden mężczyzna nie pozostanie długo obojętny na kobiece wdzięki, kiedy zostawia się go samego. Zwłaszcza taki żigolo, jak ten.

– Rozmieniłeś na drobne swoje uczucia i chcesz, żeby wszyscy byli tacy jak ty.

– Gratuluję wyboru. Dla mnie przynajmniej byłaś najważniejsza.

– Przestań. Zostaw mnie w spokoju. Raz na zawsze.

– Jeszcze do mnie wrócisz, zobaczysz.

– Paweł, proszę cię, wyjdź i zajmij się swoimi sprawami. Między nami wszystko się skończyło.

– Nie wszystko, a skończy się, kiedy ja tego zechcę, nie będziesz mi dyktować warunków.

Paweł chciał zasiać we mnie wątpliwości i udało mu się to w pełni. Ale w listach i telefonach mój ukochany był niezmiennie taki sam. Czuły i stęskniony. Zaniepokoiły mnie jednak zapewnienia, że nie będzie wywierał na mnie presji, że sama muszę zdecydować, czy i kiedy mam zostać z nim na zawsze. To była jakaś nowa nutka...

Tymczasem wezwano mnie do Agencji Artystycznej, gdzie złożono mi dwie propozycje. Pierwszą był wyjazd do Algierii, a drugą występy w show na „Batorym" podczas rejsu po rzece świętego Wawrzyńca. Mogłam zabrać ze sobą kogoś z członków rodziny. Zapowiadało się, że Joasia będzie miała wspaniałe wakacje. Wkrótce zadzwonił Daniel.

– Mam dla ciebie dwie wiadomości, jedną złą, a drugą dobrą. Od której zacząć? – mówił.

– Od złej – powiedziałam posępnie, przygotowana na najgorsze.

– Moje tournée przedłuży się o dwa tygodnie. To straszne, prawda?

– Jakoś tego nie słychać w twoim głosie, coś się zmieniło? Mów śmiało…

– Zapomniałem, jak wyglądasz, brak mi ciebie.

– A jaka jest druga wiadomość? – zapytałam ze strachem, nie pamiętając, że miała być dobra.

– W sierpniu wystąpimy razem na balu dobroczynnym Czerwonego Krzyża w Monte Carlo.

– To pewne?

– Jeśli nie umrę przedtem z tęsknoty.

Opowiedziałam mu o moich planach. Ucieszył się, że nie będę siedziała na miejscu. To, czego najbardziej się bał, to moje przebywanie z Pawłem pod jednym dachem.

– Przywieź koniecznie swoją Joan do Monaco. Czas, żebyśmy się wreszcie poznali. *Salut, princesso.*

Pojednanie z Jimmym

Wakacyjna wycieczka po rzece świętego Wawrzyńca i zwiedzanie wysp kanadyjskich było najszczęśliwszym okresem, jaki dane mi było spędzić z moją dorastającą córką. Dzięki niej łatwiej też znosiłam rozłąkę z Danielem. Podczas zwiedzania domku Lucy Maud Montgomery koło Cavendish na Wyspie Świętego Edwarda, siedząc na „zielonym wzgórzu", rozmawiałyśmy o tym, że moja wspólna droga z Pawłem dobiegła końca. Celowo rozpoczęłam rozmowę w tym uroczym miejscu. Joasia okazała się doroślejsza i bardziej świadoma wszystkiego, niż się spodziewałam. Nie była ślepa. Znała słabość ojca do kobiet i jego obwiniała za rozpad naszego związku. Wyznałam, że też nie jestem bez winy.

– Co miałaś w końcu robić? Tata się nigdy nie zmieni – powiedziała impulsywnie.

Przestraszyłam się, że tak surowo go ocenia:
– Ale ciebie zawsze bardzo kochał.
– Ja też go bardzo kocham, mamuś. I ciebie też.
O Danielu nie opowiadałam jej za wiele, bo bałam się, że niepotrzebnie wprowadzę dodatkowy zamęt do jej młodej głowy.
Wysiadłyśmy w Rotterdamie i pojechałyśmy pociągiem do Paryża. Tęsknota gnała mnie nieprzytomnie na południe. Mimo protestów Geneviève zadecydowałam, że wyjedziemy nazajutrz po przybyciu do Paryża. Joasia przyjęła to bez entuzjazmu, głównie dlatego że nie chciało się jej wstawać na poranny pociąg. Poprzedniego wieczoru Paul, syn mojej przyjaciółki, zabrał ją do dyskoteki i wrócili nad ranem.
– Zwiedzimy Marsylię – pocieszałam ją. – Przenocujemy w hotelu, który znam.
– Nie możemy pojechać od razu do tego twojego Monte Carlo? – zapytała płaczliwie moje córka.
– Naturalnie, że możemy, tylko tam mogą być kłopoty z otrzymaniem miejsca w hotelu. Przecież dojedziemy na miejsce dopiero nocą.
Miałam rację, nie było miejsc w żadnym hotelu. W pociągu ludzie przyglądali się nam ciekawie, a jakiś pan powiedział:
– Artyści ściągają już do nas. Feta się zaczyna.

– To ty jesteś taka znana? – zdziwiła się Joasia.

Byłam zdumiona nie mniej niż ona, bo trudno było mi uwierzyć, żeby pamiętali mnie jeszcze z koncertów na Lazurowym Wybrzeżu sprzed paru lat. Dopiero kiedy wysiadłam z pociągu, zrozumiałam. Wszędzie porozlepiane były afisze Daniela ze mną. Było to powiększone zdjęcie zrobione kiedyś przez Jimmy'ego. Wykorzystał je do celów reklamowych.

Zostawiłyśmy walizki w recepcji i porwałam moją zmęczoną córkę na nocne życie. Nie była tym zachwycona, bo poprzednią noc spędziła w dyskotekach i jej młody organizm domagał się snu. Mimo to wyszłyśmy na miasto żyjącego nocą, pięknego jak w bajce. Potem próbowałyśmy wejść do kasyna, ale bezskurecznie, bo mimo że Joasia przerosła mnie prawie o pół głowy, nie wyglądała na pełnoletnią. Wpadłam na pomysł, żeby pójść do klubu „Gregory's After Dark", pamiętnej dyskoteki, gdzie w czasie wieczoru z Leną książę hiszpański chciał ze mną tańczyć, trzymając mnie na rękach. Gregory przyniósł nam do oglądania albumy świadczące o chwale i sławie jego i dyskoteki. Przyleciał kiedyś z Broadwayu na występ, wygrał w kasynie sporą sumę i osiedlił się tu na stałe. Ma znakomite układy z księciem i rządem.

Nikt ważny, kto pojawi się tutaj, nie ominie jego lokalu.

Początkowo Joasia bawiła się nieźle oglądaniem zdjęć i słuchaniem muzyki. Fascynowały ją światła. Odbijając się w lustrach sprawiały, że dyskoteka wydawała się ogromna. W rzeczywistości była przytulna. Te światła bladobłękitne, podobne do blasku księżyca, miały jeszcze tę właściwość, że prześwietlały ubranie. Widać było, co się ma pod spodem i jakim szwem zszyte są części garderoby. To szokowało na wstępie, ale potem, gdy człowiek się zorientował, że wszyscy są w tej samej sytuacji, było to nawet zabawne. Zresztą bywalcy tutejsi mieli wszystko w najlepszym gatunku i trudno było dostrzec dziurawą kieszeń lub rękaw wszyty na okrętkę. Kiedy na moją cichą prośbę Gregory puścił płytę Davida Bowie, Joasia wpadła w euforię. Gdy melodia się skończyła, znowu zaczęła nudzić, że jest śpiąca. Pożegnałyśmy się z Gregorym i wróciłyśmy do hotelu, żeby przedrzemać w fotelach resztę nocy. Ale ponieważ byłam tu osobą dość znaną po moich występach, szef recepcji dał nam poduchy oraz koce i zaprowadził nas na taras obok basenu, gdzie mogłyśmy się wyciągnąć na leżankach. Przespałyśmy się trochę do świtu. Mnie to wystarczyło, ale Joasia zła była jak osa. Wyciągnęłam ją na zwiedzanie portu i starego miasta. Była w nastroju zaczepnym, bez przerwy miała o coś do mnie pretensje. A to poszłam nie tą alejką, którą chciała, a to za mocno ją wzięłam za ramię, wszystko było nie tak. Chciała po prostu spać i nic więcej.

– Rozchmurz się córeczko, jesteś w jednym z najpiękniejszych miejsc na ziemi. Rozejrzyj się, patrz, słońce wschodzi!

– Ale morze nie jest takie lazurowe, jak opowiadałaś – rzuciła w odpowiedzi płaczliwym tonem.

Roześmiałam się. Rzeczywiście, morze o wschodzie słońca było srebrno-różowe, nie było w nim krztyny lazuru.

– Jeszcze je będziesz przepraszać, niech no tylko wstanie dzień.

Przed dziewiątą wypiłyśmy kawę w bufecie przy basenie hotelowym. Wyjęłam z bagażu kostiumy i popływałyśmy trochę. Kiedy wróciłyśmy do recepcji, okazało się, że bagaż jest już w pokoju. Mieszkałyśmy na pierwszym piętrze w pięknym, dużym, stylowo umeblowanym apartamencie. Balkon wychodził na uliczkę i miałyśmy przed oczami wielki sklep Yves Saint Laurenta. Joasia runęła na wielkie małżeńskie łoże i zasnęła natychmiast. Położyłam się obok niej pełna nadziei i niepokoju. Miałam oczy utkwione w rzeźbiony plafon, kiedy usłyszałam lekki szelest przy drzwiach. Przeciąg poruszył firankę w oknie i serce uderzyło jak szalone. To Daniel cichutko zbliżał się do mnie. Położyłam palec na ustach, pokazując na śpiącą Joasię, i zerwałam się na równe nogi. W milczeniu tuliliśmy się do siebie.

– Chodź do mnie – powiedział cicho.

– A jak się obudzi?

– To co? Jest chyba większa od ciebie. Ładna smarkula. Ma twoją minę, gdy śpi.

Poszłam za nim bez słowa.

Przyglądał mi się inaczej niż zwykle. Jakby mnie zobaczył zupełnie z innej strony. Ogarnął mnie strach. Był przez te miesiące pod kuratelą Jimmy'ego. Już on się postarał, żeby mu podsunąć jakieś egzotyczne piękności. Niczego pewnie nie zaniedbał.

– Danielu, czy coś się zmieniło? – spytałam ze ściśniętym gardłem.

– Zgadnij.

– Nie wiem. Skąd mogę wiedzieć? Powiedz mi... Bo jeżeli... Musiało to kiedyś nastąpić... – powiedziałam.

– Nic nie nastąpiło.

– Powinnam w to uwierzyć?

– Proszę cię o to, bo to prawda.
– Nie ma na świecie idealnej miłości…
– Przestań! Nic się nie stało, ale nie zostawiaj mnie więcej. Pół roku to szmat czasu i wszystko może się zdarzyć.
– Dlaczego tak na mnie patrzysz?
– Jak?
– Inaczej, badawczo.
– Bo szukam w tobie odmiany.
– Jakiej? Ja wiem tylko, że mi ciężko bez ciebie.
– Powinniśmy uporządkować nasze sprawy, Ewo.
– To znaczy?
– To znaczy, że powinniśmy być razem.
Leżeliśmy spleceni uściskiem i nie mogłam pohamować łez.
– Mój Boże – szeptał Daniel – jesteś, naprawdę jesteś przy mnie. Przestałem już wierzyć, że naprawdę istniejesz. Nie puszczę cię już nigdy od siebie. Nigdy, nigdy, słyszysz?
– A Jimmy?
– Co Jimmy?
– Nie próbował odzwyczajać cię ode mnie?
– Próbował. I co z tego?
– A ta dziewczyna z okładki?
– Coo??? Jaka znów dziewczyna?

Opowiedziałam, jak Paweł przyniósł mi „Paris Match" z jego zdjęciem z Australii, z dziewczyną w koronie trzymającą kangurka.

– Zrobiono mi dziesiątki takich reklamowych zdjęć z miss Australii. Ewo, czy myślisz, że leżałbym w tej chwili z tobą, gdybym miał cokolwiek na sumieniu? Nie znasz mnie jeszcze?

– Mam jakoś mniej ufności po tym długim rozstaniu. Niczego już nie jestem pewna. Chciałabym ci ufać. Bo ufać to więcej, niż kochać.

– Nic nie jest więcej, niż kochać. Uspokoisz się. To minie, kochanie, to minie – mówi tuląc mnie. – Tylko nie rozstawajmy się już więcej.

Gdy wróciłam do siebie, Joasia już nie spała.

– Gdzie byłaś?

– Umawiałam się na próbę. Zaraz pojedziemy do „Sporting Klubu", chcesz zabrać się z nami?

– A kto tam będzie?

Wymieniłam nazwiska artystów.

– Pojadę z wami, bo chcę zobaczyć orkiestrę i tego słynnego Daniela. Jest w tym „Roczniku" co ty.

– Pojedziemy jego samochodem.

– Ty go znasz?

– Bardzo dobrze. Przyjaźnimy się od dawna.

Daniel czekał już na nas. W błękitnych dżinsach

i białej luźnej koszuli wyglądał świeżo i młodo. Joasia była onieśmielona. Dygnęła przed nim jak przed księdzem.

– Hej, hej, mama mówiła mi o tobie. Jak ci się podoba w Monte Carlo?

– Woda jest dla niej za mało lazurowa – odpowiedziałam za nią.

– Naprawdę?

– Teraz jest już OK. Rano była za blada.

Opowiedziałam Danielowi nasz przemarsz o świcie po brzegu morza.

– Twoja mama ma to do siebie, że lubi gonić nocą po plaży.

– Pana też przegoniła?

– Ładnie mówisz po francusku, gdzie się uczyłaś? – zmienił zręcznie temat. – Mam syna troszeczkę starszego od ciebie. Szkoda, że jest teraz w Anglii. Miałabyś towarzystwo.

– Ja w przyszłym roku pojadę do Anglii, prawda mamo?

– Prawda, kochanie. Dużo będziesz podróżować, zobaczysz.

Przyjechaliśmy do „Sporting Klubu". Sale były już udekorowane, muzycy stroili instrumenty. Poszliśmy z Danielem do holu, wyjął gitarę z futerału i zaczęliśmy przypominać sobie piosenkę, którą ćwiczyliśmy razem pół roku temu. Joasia słuchała z zainteresowaniem.

Doroczna gala w sali „Les étoiles" zgromadziła mnóstwo znakomitych ludzi. Tradycyjny bal dobroczynny miał wzniosłe cele: pomoc chorym, rannym i szpitalom, toteż każdy z możnych chciał koniecznie dołożyć swoją cegiełkę na to zbożne przedsięwzięcie. Po raz pierwszy obejrzałam z bliska panującą rodzinę książęcą w komplecie. Wrażeń miałam mnóstwo, bo udział w tej gali to naprawdę wyróżnienie zawodowe. Joasia była bardzo ze mnie dumna. Nie pytana, wyraziła też swoją opinię o Danielu:

– Fajny ten twój kolega, pan Daniel, i nawet bardzo przystojny, ale przecież nie da się go porównać z Davidem Bowie. Gdybyś jego znała, to ja bym chyba zwariowała.

– Wobec tego dobrze, że go nie znam, bo nie chcę mieć córki wariatki.

Po naszym powrocie do Paryża Joasia odleciała do Polski. Siedziałam w salonie ze łzami w oczach, myśląc o tym, jak bardzo będzie mi brakować córki po tych szczęśliwych, pełnych wrażeń wakacjach. Daniel przy fortepianie pisał jakąś orkiestrówkę, a Jimmy wyjął z teczki gruby maszynopis i podał mi go mówiąc:

– Przejrzyj to. Jeśli ci się spodoba, umówię cię na rozmowę z reżyserem.

– *Iwona, księżniczka Burgunda* Gombrowicza. Po francusku? Skąd to masz?

– „Théâtre de la Coline" będzie to wystawiać. Reżyser szuka odtwórczyni głównej roli. Przecież jesteś aktorką, nie chciałabyś tego zagrać?

– Jeszcze jak! Tylko czy ja jeszcze potrafię?

– Interesuje cię czy nie? Bo wydaje mi się, że kiedyś grałaś to w Polsce, mówiłaś coś o tym na przyjęciu.

Rzeczywiście rozmawiałam kiedyś z przyjacielem Daniela, młodym reżyserem teatralnym, który był zafascynowany twórczością mojego rodaka.

Jimmy wykręcił numer na tarczy telefonu i powiedział do słuchawki: – Jest zainteresowana tą rolą, a zresztą mam ją tu obok, porozmawiaj z nią sam.

– Ewa Rawska – przedstawiłam się.

– *Alain Chateau, enchanté** – usłyszałam.

Jak się okazało, był to ten sam młody człowiek, z którym rozmawiałam kiedyś o Gombrowiczu. Umówiliśmy się w „Théâtre de la Coline".

Wpadłam w panikę. Po tylu latach przerwy mam oto szansę wrócić do teatru. Ale czy mam

---

* Alain Chateau, bardzo mi miło.

ją naprawdę? Przecież rozmowa z reżyserem przez telefon o niczym jeszcze nie świadczy. Powiedział wyraźnie, że zrobi sprawdzian...

– Zamiast histeryzować, zapoznaj się z tekstem – powiedział Jimmy. – Moja w tym głowa, żebyś dostała godziwą zapłatę, jeśli cię zaangażują.

– Jimmy, jesteś cudowny, a ja myślałam, że mnie nie lubisz.

– Obojga was nie znoszę, ale muszę z czegoś żyć. Słono mi za to zapłacisz. Jeszcze będziesz żałować.

Tak to bez żadnych wstępnych rozmów Jimmy wziął moje sprawy w swoje ręce. On rządził kalendarzem Daniela i moim i od niego zależały nasze finanse. Rolę dostałam. Wkrótce dostarczył mi scenariusz filmowy z propozycją zagrania głównej roli. Zaczęły się żmudne, ale radosne dni. Dopiero po premierze udało nam się wyrwać na kilka dni do Polski.

Daniel zamierzał zatrzymać się w hotelu i chciał, żebym mieszkała z nim razem, ale sprawy przybrały taki obrót, że mogłam zabrać go do domu.

Tuż przed moim wyjazdem z Paryża zadzwoniła do mnie mama z elektryzującą wiadomością: Paweł wyprowadził się na stałe do Krakowa. Okazało się, że jego konspiracyjne spotkania z przyjaciółką z podziemia, Anną Rolicką, zaowocowały tym, że urodził im się syn. Paweł na wieść o tym upił się i wszystko wyznał mojej biednej matce, która osłupiała. W ogóle nie wiedziała, że on tkwi w jakimś związku z kimkolwiek. Że też musiał ją w to mieszać. Płakał i skarżył się, że nie wie, co ma robić, bo ze mnie nie chce zrezygnować. Mama powiedziała mu, że porozmawia z nim nazajutrz, kiedy wytrzeźwieje. Wyszedł, a ona potem dręczyła się tym tak, że omal nie skończyło się to atakiem serca. Rano Paweł przyszedł do niej skruszony, a wtedy ona zdecydowanie powiedziała, że powinien się natychmiast wyprowadzić.

– Po tym wszystkim nie sądzę, że chciałbyś nadal nakłaniać Ewę do powrotu do ciebie.

Słuchałam tej opowieści i wszystko przewracało mi się w środku. Po co te lata zmagań z sumieniem, moje ciągłe skrupuły i cała ta szarpanina. Nikomu tym nie pomogłam. Po co to wszystko? Ale skąd miałam wiedzieć, że mój mąż zdolny jest aż do takiej dwulicowości? I jeszcze wplątywał w to moją matkę, jakby nie miała innych zmartwień! Zamiast cieszyć się własnym spokojnym życiem z Tadziem, ciągle prowadzi mój dom i często musiała znosić kaprysy mego despotycznego męża, który nie jest łatwym domownikiem. Szkoda, że załatwienie tej sprawy wypadło na nią. Ale mnie

nie usłuchałby tak od razu i stosowałby tę swoją pokrętną taktykę.

W ten sposób mój mąż przeniósł się do dawnej stolicy. Mama z Tadziem zajęli jego pokój i zamieszkali na stałe z Joasią. Mama miała mi za złe, że przywiozłam swojego, jak go nazywała, „absztyfikanta" do domu, boczyła się początkowo na Daniela, ale już po trzech dniach owinął ją sobie wokół palca. Zaczęłam podchody do Pawła, żeby zabrać Joasię do Paryża. Nie chciał o tym słyszeć. Wszyscy moi bliscy byli zdania, że maturę powinna zdać w Polsce.

Kilka dni pozwoliło Danielowi polubić mój kraj, którego przedtem właściwie nie poznał. Po powrocie grałam z powodzeniem w teatrze, zaś mój luby komponował muzykę do filmu.

Aga Khan zaprosił Daniela na występ do Porto Cervo na Sardynii w czasie rajdu samochodowego Costa Smeralda. Jimmy póty z nim pertraktował, póki nie wyjednał również mojego występu, chociaż i tak mogłam jechać z Danielem. Pewnego kwietniowego dnia, w poniedziałek wielkanocny, wylądowaliśmy na lotnisku Fiumicino w Rzymie. Chciałam koniecznie zwiedzić wieczne miasto i Watykan. Wynajęliśmy samochód i przez cały dzień rozkoszowaliśmy się obcowaniem z historią utrwaloną w starych kamienicach. Kilka dni przedtem miałam dziwny sen. Śniłam jakieś stare ruiny, wokół nich zielone trawniki, a po wielkiej wodzie pływał kamienny statek o dziwacznych kształtach. Jakież było moje zdumienie, gdy chodząc po watykańskich ogrodach ujrzałam podobną do niego fontannę. Również niektóre ruiny z Forum Romanum do złudzenia przypominały te, które mi się śniły. Opowiedziałam o tym Danielowi, a on tak to skwitował:

– Jesteś po prostu szarlatanką. I mnie przykułaś do siebie swoją magiczną siłą.

Mając pod powieką czarowne obrazy z przeszłości, którą Rzym wciąż oddycha, zasnęłam w samolocie do Olbii.

Przysłano po nas samochód z hotelu w Porto Cervo. Ulokowano nas po przybyciu na miejsce w domku przypominającym chatę afrykańską. Zjedliśmy kolację podaną na stole ustawionym pośród kwitnących krzewów, oświetlonym lampionami. Było ciepło i parno. Dopiero rano zobaczyłam w jak cudownym miejscu się znalazłam. Okna nasze wychodziły na niewielką zatokę. Morze szmaragdowe i spokojne było tuż-tuż. Wśród sterczących z wody skał kołysały się zacumowane jachty. Między domkami hotelowymi kręciła się rajdowa brać w kolorowych czapkach. Koncert miał się odbyć na balu kończącym rajd. Podczas gdy zawodnicy walczyli na trasie o pierwszeństwo, my z helikoptera śledziliśmy ich zmagania i lataliśmy na sąsiednie wyspy. Aga Khan zaprosił nas na podwieczorek do swojej rezydencji.

Architekt pięknie wkomponował jego dom w najwyższą w okolicy górę. Willa ma panoramiczne okna, przez które roztacza się czarowny widok, a za mgłą majaczy Korsyka. Sam szczyt góry znajduje się w salonie. Na skale ułożono palenisko kominka i wypchana koza usadzona na jej brzegu pilnuje tam ognia.

Po koncercie postanowiliśmy jeszcze dwa dni zostać na Sardynii. Pojechaliśmy na zachód wzdłuż brzegu i wynajęliśmy pokój w samotnym domku na samym krańcu przylądka Capo Testa. Brodziliśmy godzinami po cudownie ciepłej, przezroczystej wodzie na maleńkiej, ukrytej pośród skał plaży, którą calutką wzięliśmy w posiadanie.

Niezwykła uroda pięknej Costa Smeraldy tylko wprawiła nas w melancholijny nastrój. Daniel zostawił swój frak w hotelu w Porto Cervo. Zadzwonił tam by mu go dostarczono, a przy okazji odebrał podyktowaną mu przez telefon depeszę do mnie. Zmarł na zawał serca Tadeusz, mąż mojej matki. Cudowny, pozbawiony egoizmu człowiek, w którym Joasia zyskała dziadka, a ja szczerze oddanego ojca. Mama taka z nim była szczęśliwa!

Leżałam na wybielonym słońcem piasku, z głową opartą na kolanie Daniela. Patrzyłam na wysokie bezchmurne niebo i rozmyślałam o tym wszystkim z bezmiernym smutkiem.

– Dlaczego życie jest takie okrutne – mówił Daniel. – Czemu takie straszne wieści muszą dopadać człowieka wtedy, kiedy wydaje mu się, że jest panem szczęścia. Wybacz, że w takiej chwili myślę o naszym rozstaniu, wiem, że to egoistyczne.

Zaczęła się chyba jakaś czarna seria, bo kiedy przylecieliśmy do Paryża, dowiedziałam się, że nie żyje syn Geneviève, Paul. Biedak od lat miewał stany depresyjne. Ostatnie dwa tygodnie życia przebywał w klinice dla nerwowo chorych. Odwiedził go tam ojciec i doszło między nimi do burzliwej dyskusji. W pewnym momencie Paul wyjął spod poduszki rewolwer i wymierzył do Romaina Murata. Ten chwycił go za rękę. W czasie szamotaniny rewolwer wypalił i Paul padł bez życia. Kula rozerwała mu czaszkę, uszkadzając mózg... Miał zaledwie dwadzieścia sześć lat. Biedna, biedna Geneviève! Nawet nie mogę jej teraz wesprzeć w nieszczęściu.

Pochowaliśmy Tadzia z wielkim smutkiem. Wzruszyło mnie to, że Paweł przyjechał na pogrzeb. Był zawsze w doskonałych stosunkach z moją matką i przyjaźnił się z Tadziem. Powiedziałam mu, że czas podjąć działania rozwodowe, bo nie tylko mnie, ale i jemu chyba pilno zalegalizować nowy związek.

– Masz rację. Trzeba to wreszcie zrobić. Zrozumiałem, że nie wrócisz do mnie… a w ogóle to… to ja cię przepraszam.

Smutek po odejściu Tadeusza złagodniał trochę w kołowrocie paryskich zajęć. Czarna seria jednak coraz bardziej dawała nam się we znaki. Kilka dni po moim powrocie z pogrzebu przyszedł do nas zapłakany Christof z wiadomością o śmierci Jocelyne. Przedawkowała narkotyk i zakończyła swój burzliwy żywot. Zabraliśmy Christofa do siebie, żeby odizolować go od dziennikarzy, którzy zaczęli po jej śmierci oszczerczą kampanię przeciw Danielowi. Te ich napaści były bardzo dla Daniela krzywdzące.

Tymczasem Paweł po ostatniej rozmowie dotrzymał słowa, bo oto nadeszło zawiadomienie o mającej się odbyć sprawie rozwodowej.

– Nareszcie będziemy mogli się pobrać – powiedział Daniel. – Czy ty w ogóle jeszcze tego chcesz? Spotykasz teraz tylu ciekawych ludzi…

– Nie spotykałam i nigdy nie spotkam nikogo ciekawszego i atrakcyjniejszego od ciebie.

Mimo że sporo czasu spędziliśmy razem, Daniel rzeczywiście ostatnio nie czuł się pewny moich uczuć. Dlatego doszłam do wniosku, że tuż po uzyskaniu rozwodu powinniśmy jak najszybciej wziąć ślub, żeby skrócić mękę niepewności, jaka nam przez lata dokuczała.

Miałam już wykupiony bilet lotniczy i w niemal ostatniej chwili zadecydowałam, że zwrócę go i pojadę pociągiem.

Przyczynił się do tego sen, który zrobił na mnie okropne wrażenie. Śniłam, że przechadzam się brzegiem morza w Nicei w czasie burzy. Czarne niskie chmury wisiały nade mną. Przeskoczyłam murek dzielący plażę od hotelu Negresco i już byłam na piasku. Czekałam na Daniela, ale spóźniał się. Fale wściekle waliły o brzeg. Nagle zobaczyłam podpływającą łódź. Siedzieli w niej Tadeusz i Bob, a także Paul, zmarły tragicznie syn Geneviève.

– Jest tu miejsce dla was – powiedział Bob. – Wsiadajcie.

Chciałam wsiąść do łodzi, ale Tadeusz odepchnął mnie wiosłem i przywołał Jimma i Daniela. Kiedy wsiedli, łódź szybko odbiła od brzegu. Weszłam do wody, ale dystans między łodzią a mną powiększał się szybko. Na łodzi zaczynała się jakaś walka, kogoś wyrzucono na zewnątrz, ale nie mogłam zobaczyć kogo, bo było ciemno i byli już za daleko.

– Daniel – krzyczałam. – Nie zostawiaj mnie.

Obudziłam się od tego krzyku, który tylko we śnie był krzykiem, faktycznie zaś westchnieniem. Opowiedziałam Danielowi ten sen. Uznał, że to skutek przemęczenia. Ja jednak wciąż o tym rozmyślałam i w końcu nabrałam przekonania, iż czeka mnie coś złego. Zaczęłam bać się lotu samolotem i Daniel zdecydował, że w takiej sytuacji powinnam pojechać pociągiem, chociaż to strata czasu.

Co w gwiazdach zapisano...

Patrzyłam ze smutkiem na moją matkę, jak drzemała siedząc w fotelu z książką na kolanach. „Niestety – myślałam – ostatnio zaczęła wyglądać na swoje lata... Zeszczuplała po śmierci Tadzia, plecy jej się zaokrągliły i twarz skurczyła, nabierając bezradnego wyglądu". Jak najszybciej muszę je obie zabrać do naszego domu. Wiem, że Joasia nie pozwala jej się przemęczać, pomaga ile może, ale wolałabym sama mieć na wszystko oko.

Szelest kartek dał mi znać, że ocknęła się z drzemki.

– Co znowu?

– Martwię się, jak ci się teraz życie ułoży...

– Ależ mamo! Najgorsze mam już za sobą. Przynajmniej w sądzie Paweł zachował się bez zarzutu. Wiesz, co mi powiedział po sprawie? Że jest dumny z moich sukcesów i że będzie mnie zawsze uważał za jedną z najatrakcyjniejszych kobiet w jego życiu. „Jedną z najatrakcyjniejszych"! Mój Boże, on chyba już nigdy nie dorośnie. To, oczywiście, miał być komplement, więc podziękowałam mu. Niech się teraz Rolicka martwi, że jest jedną z wielu.

– No, wiesz! Żeby po tylu latach małżeństwa matce swojego dziecka prawić takie płaskie komplementy. Mam nadzieję, że ten twój Daniel po ślubie się nie zmieni. To czarujący człowiek, ale... Nie wiem czemu twoja przyszłość z nim napawa mnie lękiem.

– Przestań mamo! Nie lubię, kiedy snujesz takie ponure przewidywania. Wszystko można zapeszyć.

– Nie chcę ci niczego zapeszać. Ale coś mnie dzisiaj dręczy.

– Kiedy wróci Joasia? – zmieniłam temat.

– Zapomniałaś? Umówiła się z Pawłem.

Od czwartej usiłuję się dodzwonić do Daniela. Albo zajęta linia, albo nikt w domu nie odbiera. A przecież umówiliśmy się, że od trzeciej będzie czekał na mój telefon.

– Nie przejmuj się. Stąd nie tak łatwo uzyskać połączenie. A mogło mu też coś wypaść. Przed wyjazdem musi mieć urwanie głowy. Odpręż się, bo chodzisz po domu jak dziki zwierzak po klatce.

– Wiesz mamo, tyle czasu czekałam na to, żeby ten rozwód wreszcie doszedł do skutku, a teraz nie potrafię się tym cieszyć.

– Pewnie. To zupełnie normalne. Były przecież w życiu z Pawłem i dobre chwile.

– Na pewno. Tylko że dopiero z Danielem przekonałam się, czym może być związek dwojga ludzi.

– Włączę radio, posłucham wiadomości, a ty zostaw już telefon w spokoju. Gdy Daniel wróci do domu, sam do ciebie zadzwoni. I tak zawsze to robi pierwszy, bo nie może się doczekać.

– Może masz rację.

Z radia popłynął znajomy głos spikerki:

„Gościmy dzisiaj w naszym kraju premiera Belgii Wilfrieda Martensa. W Tbilisi milicja i wojsko przy użyciu trujących substancji chemicznych tłumią manifestacje Gruzinów. Szewardnadze protestuje. Michaił Gorbaczow w drodze z Kuby składa trzecią już wizytę w Wielkiej Brytanii. I jeszcze wiadomość z ostatniej chwili znad Sekwany: dziś w południe na drodze z Wersalu do Paryża wydarzył się tragiczny wypadek. Samochód znanego artysty i kompozytora Daniela Sauvala zderzył się z ciężarówką. Wezwany na miejsce wypadku lekarz stwierdził…"

Poczułam, że nogi uginają się pode mną i straszliwe uderzenie w pierś spycha mnie w czarną otchłań...

Przez zniewalające uczucie słabości przedarła się ostro świadomość, że stało się coś strasznego. Ktoś zwilżał mi usta tamponem. Nie miałam siły otworzyć oczu.

– Budzi się – usłyszałam głos mamy.

– Najlepiej byłoby, żeby teraz pospała. Dostała zastrzyk, po którym powinna czuć się dobrze. To tylko omdlenie spowodowane szokiem. Nie ma żadnego niebezpieczeństwa.

– Nie ma niebezpieczeństwa – powtórzyłam. – A Daniel? Daniel, o Boże, Daniel...

– Daniel żyje, Ewo. Słyszysz? On żyje. To Jimmy Falk zginął na miejscu.

Głos oddala się powoli. Walczę z sennością i nie mogę sobie z nią poradzić.

Nocą budzę się. Mam pełną świadomość tego, co się stało. Chcę usiąść, ale kręci mi się w głowie. Stopniowo udaje mi się wstać. Mama pojawia się w drzwiach.

– Śpij, Ewuniu.

– Muszę zadzwonić do Christofa.

– Już on dzwonił. Joasia z nim rozmawiała.

– I co? Co powiedział? Co z Danielem?

– Jest ciężko ranny. Muszą go operować.

– O Boże – szepczę. – O Boże...

– Christof zostawił adres szpitala. Ale jak ty pojedziesz taka chora?

– Nie jestem chora. Muszę polecieć tam pierwszym samolotem.

– Teraz nic mu nie pomożesz. Lepiej nabierz sił, potem będą ci potrzebne.

– Muszę lecieć. Przecież Christof dopiero co pochował matkę.

Nie zmrużyłam już oka do rana. Czułam tak straszliwą pustkę, cały świat zawalił się nagle. Jeśli i nad Danielem zawisło ponure fatum, które dotychczas prześladowało jego rodzinę, mogę go nigdy nie zobaczyć. Jego rodzice zginęli w wypadku samochodowym, gdy miał dziewiętnaście lat. Został sam na świecie. Christof w wieku lat dwudziestu stracił już matkę... Nie. Nie wolno mi tak myśleć. On musi żyć i wrócić do zdrowia. A ja muszę być teraz przy nim.

– Może masz rację, Ewo, jedź. Lepiej będzie, gdy będziesz tam, na miejscu.

– Nigdy, już nigdy więcej nie będziemy się rozstawać. Jak tylko wszystko... wróci do normy, zabieram was do siebie.

Żeby tylko wyżył, żeby wyżył...

Jeszcze w nocy spakowałam swoje rzeczy. Udało mi się zdobyć miejsce w samolocie, który odlatywał o dziewiątej rano.

Prosto z lotniska pojechałam do szpitala. Kiedy tam dotarłam, Daniela właśnie operowano. Siedzieliśmy z Christofem ściskając się za ręce, bez słowa. Nie mogłam oderwać oczu od drzwi do sali operacyjnej. Nie wiem, ile to trwało. Uparcie powtarzałam w myślach jedno jedyne zdanie, pragnienie, zaklęcie: „Boże, ocal go, nie daj mu odejść!"

Wreszcie otworzyły się magiczne drzwi i postać w bieli stanęła przed nami.

– Operacja się udała – powiedział. – Mogą państwo…

Nic więcej nie usłyszałam. Znowu popadłam w omdlenie. Dopiero po trzech dniach pozwolono nam zobaczyć Daniela. Miał zabandażowaną głowę, rękę na wyciągu i nogę w gipsie. Twarz posiniaczoną i spuchniętą. Ale oczy przytomne.

Wszystko, co działo się w owe straszne, pełne niepewności dni, miesza mi się teraz w pamięci. Uczestniczyłam w pogrzebie Jimmy'ego, rozmawiałam z lekarzami i godzinami przesiadywałam przy łóżku Daniela…

Przerażona jego ciężkim stanem, nie umiałam docenić szczęścia, że wyszedł z życiem z tego strasznego wypadku. Połamana noga i ręka, liczne poranienia nie były tak groźne, jak odprysk blachy karoserii, który utkwił w czaszce. Do ostatniej chwili lekarze nie mieli pewności, czy nie uszkodził mózgu. Z medycznego punktu widzenia wszystko skończyło się dobrze.

Po trzech tygodniach pozwolono mu opuścić szpital. Nie mógł pogodzić się ze śmiercią przyjaciela. Ponieważ nie potrafił sobie przypomnieć okoliczności wypadku, siebie obwiniał o to, co się stało.

Zrobiłam wszystko, żeby uwolnić go od tego stresu. Udało mi się otrzymać kopię raportu policyjnego i zeznania naocznych świadków. Bardzo mu to pomogło. Było tam jasno powiedziane, że jadąca z przeciwka ciężarówka niespodziewanie znalazła się po drugiej stronie jezdni.

Gdy Daniel zaczął poruszać się o kulach, poprosił, żebym zawiozła go na grób przyjaciela, do Clamart. Umówiliśmy się tam z Patrycją, wdową po Jimmym.

Patrycja Falk była prawą ręką swojego męża w interesach. Pracowała u niego najpierw jako sekretarka, a potem przejęła całe biuro. Pobrali się osiem lat temu i nie mieli dzieci, ale małżeństwo ich było bardzo udane. Daniel zamierzał, niezależnie od kwoty z ubezpieczenia, jaką otrzyma, przekazać jej znaczną sumę ze swojego konta, bo przecież wypadek miał miejsce w jego samochodzie. Chcieliśmy się z nią zobaczyć również i w tej sprawie.

Spotkaliśmy się na parkingu i wolno szliśmy do góry. W dniu pogrzebu padał deszcz i świat był zamglony, niewiele widziałam poza konduktem pogrzebowym. Teraz, gdy minęliśmy bramę, przystanęłam urzeczona. To miejsce było tak piękne. Nie było tych stłoczonych kamiennych brył grobowców, jak na cmentarzu Montmartru, ani nawet typowych smutnych grobów, jak na Père-Lachaise. Tu alejki pięły się ku wzgórzu. Ukwiecone groby pośród drzew patrzyły na daleki Paryż. „Masz u stóp całe swe ukochane miasto, Jimmy, możesz zawsze rzucić nań okiem…" – myślałam.

„Jimmy Falk – impresario. Żył lat 38. Zginął tragicznie 16 lutego 1989 roku…"

Patrycja pochyliła się nad grobem, dotknęła ziemi, która przykrywa jej męża. Plecy jej zadrżały, na kwiaty spłynęła łza.

– Nie zimno ci? – szepnęła. – Nie mogę pogodzić się z tym, że tyle ciężkiej ziemi przywala twoje ciało…

Odwieźliśmy Patrycję do domu i wprosiliśmy się na chwilę. Daniel powiedział nieśmiało o swoim zamiarze przekazania jej pewnej sumy.

– Nie, Daniel, nie – zaoponowała. – Twoje leczenie pochłania fortunę. Wiem, że ciągle dręczysz się, czując się winnym. Nie chcę, żebyś tak myślał. I Jimmy będzie ci na pewno wdzięczny, jeśli uwolnisz się od tych myśli. Ale możesz coś dla mnie zrobić. Oboje możecie coś dla mnie zrobić.

– Co tylko zechcesz – powiedzieliśmy równocześnie.

– Chcę, żebyście powierzyli mi swoje sprawy. Ja... muszę coś robić. Możecie mi zaufać. Chcę kontynuować to, co robił Jimmy. Proszę was...

– Nikt nie zastąpi go lepiej niż ty. Jesteś bardzo dzielna, Patrycjo. Sam zamierzałem zwrócić się z tym do ciebie.

– To znakomity pomysł – przyznałam.

– Na razie zajmiesz się Ewą, bo ze mną nie wiem, jak będzie... – dodał smutno Daniel.

– Wszystko będzie dobrze. Musisz się wziąć w garść. Tylko śmierć jest ostateczna. A ty żyjesz. Ty żyjesz, Danielu, i grzeszysz nie potrafiąc się z tego cieszyć.

Ucałowaliśmy Patrycję serdecznie. „Co za paradoks – myślałam. – Żeby ktoś dotknięty takim nieszczęściem musiał dodawać nam otuchy". Dopiero w tej chwili uświadomiłam sobie w całej pełni wagę szczęścia, które zgotował mi los ocalając Daniela.

Któregoś wieczoru po powrocie z teatru zastałam Christofa siedzącego z ojcem nad planem Warszawy.

– Co tu się dzieje? – zapytałam. – Wybieracie się w podróż?

– Twoja córka zdała maturę. Chris odebrał telefon i ucięli sobie dłuższą pogawędkę. Zaproponowała, żeby wybrał się na zwiedzanie Warszawy. Co ty na to?

– Wspaniale! Zazdroszczę ci, Christof. Sama bym pojechała.

– I zostawiłabyś mnie samego?

– Nigdy cię już nie zostawię.

Christof mógł wyjechać, bo poza pisaniem do pism ilustrowanych nie miał żadnych stałych obowiązków. Swoje studia na filologii klasycznej przerwał na rok po śmierci matki. Ustaliliśmy, że spędzi w Warszawie trzy tygodnie i przyjadą we troje, razem z moją mamą, pod koniec czerwca.

W niedzielę czwartego czerwca przed południem umówiłam się z reżyserem w celu złożenia rezygnacji z obiecanej roli w jego filmie. Ale przedtem postanowiłam pójść do ambasady polskiej, by oddać swój głos w pierwszych wolnych wyborach.

To, co ujrzałam w okolicach ambasady, było nieprawdopodobne. Zjechali tu rodacy z całej Francji. Kilometrowe kolejki do pałacu Sagan sięgały aż po Esplanadę Inwalidów. Mrowie Polaków przybyło, by wpłynąć na zmianę polityki w kraju. Niektórzy ledwie mówili po polsku. Spotkałam znanych mi ludzi, których pobytu tutaj nawet nie podejrzewałam. Większość z nich patrzyła na mnie z zaciekawieniem.

Po głosowaniu jadę do „Klubu poetów" na spotkanie z reżyserem. Nie wiem, jak mu powiedzieć o mojej rezygnacji. Tyle miał ze mną kłopotów. Czekał, aż odetchnę po wypadku Daniela. Potem musiał dostarczyć mi nowy egzemplarz scenariusza, bo ten, który wręczył mi Jimmy, zostawiłam w Polsce. Teraz, kiedy wybrał mnie, odrzucając znaną gwiazdę, ja powiem mu, że dziękuję. Nie jestem tak naiwna, by nie wiedzieć, że to definitywne pożegnanie z filmem, zanim jeszcze cokolwiek w nim zrobiłam. Czy żałuję? Naturalnie. Ale nie można mieć wszystkiego. Bez filmu jakoś żyłam tyle lat, a bez Daniela już nie umiałabym. Gdyby Daniel wiedział, że wybieram… Coś wymyślę.

On nie może się o tym dowiedzieć. Nigdy by sobie nie wybaczył, że z czegoś dla niego rezygnuję.

Przez witrynę tarasu dojrzałam ciemną czuprynę reżysera, zaczerpnęłam powietrza jak przed skokiem do wody i otworzyłam drzwi. Osłupiałam. Siedział przy stoliku z Danielem.

– Jesteś nareszcie. Baliśmy się, że w tłumie rodaków zapomnisz o spotkaniu.

– A skąd ty się tu wziąłeś, Królewiczu?

– Zgadnij.

– Zaprosiłem go – powiedział Bonard. – Zaproponowałem Danielowi, żeby skomponował muzykę do filmu. I udało mi się go namówić.

– To cudowna wiadomość – ucieszyłam się. – Tego mu było potrzeba.

W tym momencie przypomniałam sobie, po co tu przyszłam i zrobiło mi się nieswojo.

– To ja już powiem wszystko – wyrwał się Daniel – Albert jest tak miły, że na zdjęcia plenerowe zaprasza i mnie. W San Sebastian wynajmie dla nas willę. Dla nas, naszych dzieci i twojej matki.

Nie byłam w stanie wydobyć z siebie głosu.

Zdjęcia miały się zacząć w połowie lipca. Porozmawialiśmy jeszcze chwilę i reżyser zapytał:

– Jakie ma pani problemy, Ewo? Dlaczego chciała mnie pani widzieć?

Poczułam, że oblewam się rumieńcem. Daniel patrzył na mnie badawczo.

– Nic ważnego – powiedziałam. – Miałam pewne wątpliwości co do pewnej sceny, ale doszłam do wniosku, że nie mam racji. – Pożegnaliśmy się i reżyser poszedł.

– Przyznaj się, co chciałaś zrobić? – zaatakował mnie Daniel. – Chciałaś się wycofać?

– Skąd wiesz?

– Miałabyś sumienie obarczyć mnie odpowiedzialnością? Domyślałem się tego. Ostatnio wszelkie rozmowy o wyjeździe na zdjęcia urywałaś. Tylko dlatego zgodziłem się skomponować tę muzykę, żebyś nie zrobiła głupstwa, którego mogłabyś potem żałować.

– Niczego bym nie żałowała. Najważniejsze, że ty wracasz do pracy. Zdrowiejesz, kochanie, to znak, że zdrowiejesz!

– Musimy to uczcić. Zapraszam cię na przejażdżkę statkiem pod mostami Paryża. Co ty na to?

– Jest piękna pogoda, należy nam się trochę relaksu.

Daniel miał jeszcze uraz do prowadzenia samochodu i ja teraz byłam jego kierowcą. Zeszliśmy w dół, aż do portu Bateaux Mouches. Gdy zobaczyliśmy tłumy ludzi kłębiące się na pokładzie statku i usłyszeliśmy hałaśliwą muzykę z głośników, spojrzeliśmy na siebie zawiedzeni.

– Masz ochotę na to zbiorowe szaleństwo? – spytałam.

– Mam ochotę na samotność we dwoje, tu jej nie znajdziemy.

– Wobec tego pospacerujmy nad Sekwaną, a jak się zmęczysz, poczekasz na mnie na ławce, a ja podjadę samochodem.

Szliśmy długo promenadą pośród kwietnych rabatek rozkoszując się widokami starych budowli otaczających rzekę. Przystanęliśmy przy murku obok mostu Iéna. Patrzyliśmy w szybko płynącą wodę.

– Niedługo moje kolano zegnie się na tyle, że będę mógł uklęknąć i poprosić cię o rękę. Kiedy to nastąpi?

– Pewnie niedługo. Tylko że ja nie myślę dłużej czekać. Tym bardziej że drugie kolano masz sprawne.

– To znaczy, że chcesz, żebym teraz...?

– Wykręcasz się, mój panie.

– Ja się wykręcam? Ja się tylko boję, że teraz, kiedy jestem mniej atrakcyjny...

– Jesteś próżny. Nie myślę ci prawić komplementów, nie jesteś moim narzeczonym.

– Nie bluźnij, Ewo. Narzeczeństwo to święta sprawa.

– W nosie mam narzeczeństwo. Interesuje mnie ślub.

– Ślub z niepełnosprawnym, bez gości, pompy, parady?

– Zgadłeś. Chcę tylko ciebie. Mam uważać, że mi się oświadczasz?

– Chyba nie zamierzasz mnie teraz odrzucić?

– O, nie! Na to już nie licz. Przepadłeś z kretesem.

– Amen – powiedział i wziął mnie w ramiona.

Nazajutrz, gdy wróciłam z Lasku Bulońskiego po joggingu, Daniel czekał na mnie siedząc na balkonie.

– Bałem się, że gdzieś się zawieruszysz i nie zdążysz na własny ślub – powiedział całując mnie.

– Co ty powiedziałeś?

– To, co słyszałaś. Po południu przyjdzie tu urzędnik z merostwa. Zamówiłem też świadków. Będą nimi Rafael i Georgette. (Rafael jest masażystą Daniela, a Georgette to nasza konsjerżka).

– Czemu właśnie oni?

– Co masz przeciwko nim? Gdybym zaprosił kogokolwiek z przyjaciół, musiałbym zaprosić wszystkich. To wymaga czasu.

– Aż tak ci się śpieszy?

– Stchórzyłaś?

– Nie, ale ty poważnie?…

– Pośpiesz się. Masz założyć moją ulubioną suknię.

– Zwariowałeś!

Jego ulubiona suknia to bawełniana szmatka, którą miałam na sobie wiele lat temu podczas naszej pierwszej randki w Nicei. Próbowałam ją wyrzucić, ale mój romantyczny Romeo powiesił ją w swojej szafie.

– Jak szaleć, to szaleć – powiedziałam. – A czy ty też założysz swój strój archiwalny?

– Naturalnie, że tak.

Przebraliśmy się w niemodne ciuchy. Kiedy nadeszli wystrojeni świadkowie i spojrzeli na nas, mieli głupie miny. Myśleli, że zażartowaliśmy sobie z nich. Na szczęście nadszedł też zaraz urzędnik z merostwa, równocześnie z posłańcem z kwiaciarni. Oprócz wiązanki z herbacianych róż przyniósł wianek, który mój oblubieniec włożył mi na głowę. Pokłuł mnie przy tym, bo jak wiadomo, nie ma róży bez kolców.

– Co to, korona cierniowa? Myślałam, że idę do ślubu, nie na Golgotę.

– Tylko mi tu nie kracz.

– Ma pan obrączki, panie Sauval?

– Oto one – powiedział Daniel podając pudełeczko.

– Pomyślałeś o wszystkim – pochwaliłam go.

– Cały ranek spędziłem przy telefonie.

Urzędnik wygłosił stosowne przemówienie, wypowiedział odpowiednie formuły, ze wzruszeniem złożyliśmy przysięgę.

Kiedy zostawiono nas samych, Daniel powiedział:

– Witaj, pani Sauval. Zapraszam cię teraz na ucztę weselną do mojej sypialni.

– Wiedziałam, za kogo się wydać! Tylko ty potrafisz spełnić każde moje marzenie.

W tym miejscu mogłabym skończyć tę opowieść. Rzecz w tym, że ma ona ciąg dalszy, którego nie przewidzieliśmy wcale.

Mama, Joasia i Christof przyjechali dwa tygodnie po naszym ślubie. Wszyscy wyglądali świetnie i byli w doskonałej komitywie. Najbardziej zadziwiła mnie mama. Nie przypominała owej przygarbionej staruszki, którą była przed paroma miesiącami. Oczy jej błyszczały jak za dawnych lat.

– Odmłodniałaś mamo – powiedziałam. – Cieszę się, że tak świetnie wyglądasz.

– Z jakim przystajesz, takim się stajesz – odpowiedziała wesoło. – To dzieciaki tak mnie rozruszały. Że też ten twój Daniel zdołał tak wspaniale wychować syna!

– O, tak. Mój mąż to człowiek niezwykły.

– Jak to twój mąż? To wyście się pobrali? Tak chyłkiem?

– Dwa tygodnie temu. Zrobiliśmy sobie cichy, wspaniały ślub.

– A wasi znajomi, przyjaciele?

– Zawiadomimy ich, muszą nam wybaczyć. Pewnego dnia uznaliśmy, że nie możemy czekać ani chwili dłużej.

– No, wiesz! Oryginalny punkt widzenia. Po tylu kłopotach tak mało uroczyście…

– Ależ mamo! Było bardzo uroczyście. Tylko że to świętowanie dotyczyło jedynie nas dwoje.

– Inaczej to sobie wyobrażałam. No, cóż… Wasza sprawa.

– Chyba nie czujesz się urażona, mamo?

– Niejedno w życiu widziałam. Najważniejsze, żebyście byli szczęśliwi. Tego wam życzę z całego serca.

– Dziękuję, mamo. Nie może być inaczej, póki życia.

Trzy tygodnie później siedzieliśmy na tarasie

willi w San Sebastian. Popijałam sok odpoczywając po ciężkim dniu zdjęciowym, a Daniel rozmawiał z kimś przez telefon, przepraszając co chwilę. Miał bardzo zakłopotaną minę.

– Co się stało? – spytałam, kiedy odłożył słuchawkę.

– Christof przejął się zanadto rolą opiekuna twojej córki. Będę mu musiał natrzeć uszu.

– Co masz na myśli? – spytałam zaintrygowana.

– Uderzył aktora z waszej ekipy, bo robił oko do Joasi. Po prostu podsiniaczył mu oko, a on jutro jest potrzebny na planie. I co ja mam z tym zrobić? Sam też chętnie przyłożyłbym twemu partnerowi, gdy zanadto rozpala się w scenach miłosnych z tobą.

– Też porównanie! Chyba nie myślisz, że oni...

– Dlaczego nie? Czytałaś opowiadanie Christofa, które wydrukowali mu w „Madame Figaro"?

– Nie. A co to ma wspólnego z dzisiejszym incydentem?

– Masz, przeczytaj, wtedy zrozumiesz.

Podał mi pismo otwarte na stronie podpisanej nazwiskiem Charlesa Duvala. Był to pseudonim, pod którym Christof publikował swe pierwsze opowiadania.

Kwiat magnolii

Ojciec Bernarda Boniera nie był w istocie tym, za kogo go powszechnie uważano. Na afiszach filmowych, na fotosach reklamowano jego uwodzicielski uśmiech i demoniczną twarz playboya, która w istocie nie miała z nim nic wspólnego. Kiedy Bernard był dwunastoletnim chłopcem, odkrył pewnego dnia, że jego matka jest narkomanką. Ukryła się wtedy w bibliotece, żeby zrobić sobie zastrzyk. Bernard też tam był. Stał wysoko na drabince i sięgał po książkę na górnej półce, gdy weszła. Zamknęła za sobą drzwi i drżącą ręką wstrzyknęła sobie coś w żyłę. Nie wiedział, co począć. Zastygł tam wysoko w przerażeniu i czekał, kiedy go odkryje. Matka uniosła ręce nad głowę i trwała, kołysząc się lekko i nie widząc nic dookoła. Jej źrenice zogromniały i oczy zaszkliły się od łez. Była to twarz osoby śniącej na jawie. Po długiej chwili wstała, chwiejnie podeszła do drzwi. Bernard czuł się jak przywiązany do drabiny. Nie mógł się ruszyć. Zdawał sobie doskonale sprawę z tego, czego był świadkiem. W szkole pokazywano dużo filmów o narkomanach.

Strzykawka z rozlaną resztką płynu leżała na stole. Przestraszył się, że ktoś wejdzie i dostrzeże ją. Szybko zbiegł z drabiny, zawinął kompromitujący przedmiot w papier i wyniósł daleko do ogrodu, a tam zakopał głęboko. Potem zaszył się w krzakach i zaczął płakać. Dom był pełen ludzi, ale nikt go nie szukał. Ojciec kręcił film za oceanem, a goście matki nie zwracali na niego uwagi. Teraz zrozumiał nagle ich dziwne zachowanie. Tę obojętność na wszystko, zapatrzenie w siebie. Kiedy się ściemniło, przekradł się do swego pokoju i położył nie zapalając światła. Bał się ostatnio matki. Miewała częste napady złości i wolał wtedy schodzić jej z oczu. Innym znów razem zamykała się u siebie i nie mógł się na nią doczekać. Wakacje w domu przestały być radością, marzył, żeby zaczął się rok szkolny. Ojciec, kiedy był w domu, zajmował się nim czule, jakby chciał mu wynagrodzić rozstania. Wciąż był zatroskany. Dawniej dużo rozmawiali o matce, potem unikali tego tematu. W domu przebywali na ogół wtedy, gdy matki w nim nie było.

– Mama mocno choruje – mówił ojciec. – Jest znów w sanatorium.

Wiedział, jakie to „sanatorium", ale ojciec to przed nim ukrywał, więc Bernard nie chciał mu robić przykrości, tym, że wie.

Kiedy wracała matka, ojciec wyjeżdżał z domu.

Później Bernard zaczął przeżywać swoje pierwsze tęsknoty. Dziewczyny garnęły się do niego chętnie, bo był podobny do sławnego ojca. Imponowało im to i spodziewały się, że dostarczy im wrażeń podobnych do tych, jakimi jego ojciec obdarzał swoje filmowe partnerki. Dziewczyny były natrętne, nazbyt chętne, krzykliwe. Bernard nudził się nimi szybko.

Pewnego dnia ojciec powiedział:

– Synu, pragnę ci przedstawić kogoś, kto wiele znaczy w moim życiu. Jesteś już prawie dorosły i wiesz, że z twoją matką niewiele mamy sobie do powiedzenia. Pragnę, żebyś wiedział, że ta kobieta nie miała nic wspólnego z rozpadem naszego małżeństwa. Ale nie będę ukrywał przed tobą, że znaczy dla mnie tyle, ile nikt dotąd, poza tobą. Proszę cię, staraj się ją polubić, to dla mnie ważne.

Bernard wysłuchał w milczeniu tego wyznania. Postanowił ją nienawidzić. Kiedy jednak zobaczył ich razem, poczuł się widzem na najpiękniejszym filmie swego ojca. Kobieta była wiotka i łagodna. Wodziła za ojcem tęsknym spojrzeniem, gdy choć na chwilę się od niej oddalił. On też patrzył na nią tak, jak na swoją ulubioną magnolię w ogrodzie.

Bernard wiedział, że nie potrafi znienawidzić tej kobiety. Czuł się zdrajcą wobec matki, ale był też na nią wściekły za to, że nie widział nigdy ojca przy niej szczęśliwego. Sam odczuwał głód uczucia i widok tych dwojga popchnął go w rejony marzeń…

Odprowadzili ją razem na lotnisko. Bernard krzątał się przy wózku z bagażem, chciał, żeby zauważyła jego gorliwość.

Kiedy przyjeżdżała, chętnie przebywał z nimi. Powoli kurtyna z marzeń oddzieliła go od rówieśników. Miał nadzieję, że kiedyś spotka kogoś, kogo pokocha jak ojciec tę kobietę.

Nadszedł dzień, gdy musieli porzucić swój dom z ogrodem. Ojciec tłumaczył mu, że sprawy zawodowe zmuszają go do zamieszkania na stałe w Paryżu.

Kiedyś rozmawiając z przyjacielem ojca zapytał, czemu ojciec nie połączy się na stałe z tą kobietą, skoro potrafią być razem tak szczęśliwi.

– Nie wiem, czy oni się kiedyś na stałe połączą. To para nierealnych romantyków. Krępuje ją korzystanie z pieniędzy twego ojca. Ona pochodzi z kraju, który przeżywa trudności.

Życie napisało jednak inny scenariusz. Kiedy matka Bernarda zmarła, nagle postanowili być razem. Zaprosili Bernarda do domu ojca i wyznali mu to. Niedługo potem ojciec ciężko zachorował.

Bernard przeżywał bardzo chorobę ojca. Świat fikcji literackiej był teraz jego życiem. Posadził na grobie matki magnolię i powiedział sobie, że jeśli się przyjmie, ojciec wyzdrowieje.

Po pewnym czasie ojciec poczuł się na tyle dobrze, że Bernard odważył się wyruszyć w podróż. Tam, dokąd pojechał, los zetknął go z córką tej kobiety. Jasna, skromna dziewczyna o bławatnym spojrzeniu towarzyszyła mu w zwiedzaniu muzeów. Pachniała kwiatem magnolii. Po powrocie Bernard znowu odwiedził grób matki. Był szczęśliwy, że magnolia okrzepła i przyjęła się. Wiedział, że to dobra wróżba. Myślał o dziewczynie. Postanowił, że będzie się starał, by go pokochała, i nie spocznie, dopóki to się nie stanie. A potem pójdzie za nią wszędzie.

Charles Duval

Byłam wstrząśnięta. Na Boga! Przecież to wyznanie intymne. Uświadomiłam sobie nagle, że ten chłopiec stał mi się bardzo drogi. Nie chciałabym jednak, żeby swoje uczucia budował na marzeniach, bo życie może nie sprostać marzeniom. Jeśli ma choćby połowę dobroci i wrażliwości swego ojca, Joasia pokocha go i będzie szczęśliwa. Mój Boże, przecież to jeszcze dzieci...

– O czym myślisz? – zapytał Daniel.

– To opowiadanie... ono jest o miłości do ojca.

– Ileż ten dzieciak przeżył! Musiał dusić to w sobie. Rozumiem, że pisząc to chciał się oczyścić, dać upust emocjom. Nie wiem tylko, po co to opublikował. To ekshibicjonizm.

– On jest artystą. Wszyscy po trosze tacy jesteśmy...

– A co zrobimy z tym błaznem, któremu przyłożył? Może rzeczywiście lepiej, żeby sobie pojechali do Ameryki?

– Do Ameryki? Kto?!

– Och... zupełnie zapomniałem... Prosili mnie o wstawiennictwo u ciebie. Marzy im się wspólna wycieczka do Ameryki. Chris przyrzeka, że nie pozwoli, żeby Joasi włos spadł z głowy.

– Co wyście uknuli? Już ja widzę tego opiekuna, jak bije każdego, kto się za nią obejrzy… Spędzi tam czas za kratkami.

– Chyba że ja go powstrzymam przed pochopnym działaniem – wtrąciła się nagle moja mama.

– Ty, mamo?!

– A cóż to, nie zasługuję na to, żeby obejrzeć kawałek świata?

Mamę ogarnęła pasja zwiedzania. Zaczęło się to w Paryżu. Teraz też nie ominie żadnej okazji, żeby pojeździć po Hiszpanii. Twierdzi, że i tak za dużo czasu zmarnowała, a świat jest taki piękny.

Kilka dni po tej rozmowie zostaliśmy w San Sebastian tylko we dwoje: Daniel i ja.

spis treści